Centre international d'études pédagogiques

Réussir le
DELF

A1

Bruno Girardeau
Nelly Mous

Crédits photographiques et illustrations

Conception maquette intérieure et couverture : **Solène Ollivier**

Mise en page : **Avis de passage**

Illustrations : **Christopher Longé** : 19, 24, 25, 26, 28, 31, 113, **Gabriel Rebufello** : 45, 48, 49, 61, 89

Schémas/docs : **Avis de passage**

Photogravure : **IGS-CP**

Crédits CD audio : Enregistrements, montage et mixage : **Fréquence Prod**

Musique : *Funky Frenzy*, composée par Bruno Pilloix, Kosinus, KMUSIK

© Les Éditions Didier, Paris 2010 – ISBN 978-2-278-06447-2

Achevé d'imprimer en octobre 2021 par Macrolibros, Espagne - dépôt légal : 6447/12

Préface

Les ouvrages de la collection « Réussir le DELF » sont rédigés et validés par la commission nationale du DELF (diplôme d'études en langue française) et du DALF (diplôme approfondi de langue française). Ils proposent un entraînement au format des épreuves des diplômes DELF.

Chaque année, plus de 330 000 candidats présentent, au cours de l'une des sessions organisées par les centres agréés (plus de 1000 à travers le monde), les épreuves d'un diplôme DELF dans l'un des pays qui organisent ces examens.

Le DELF et le DALF sont les diplômes officiels du ministère français de l'Éducation. Ils sont présents dans 165 pays, et sont donc reconnus au niveau international.

Certains pays, de plus en plus nombreux, accordent des reconnaissances locales aux titulaires de ces diplômes. À titre d'exemple, un DELF peut dispenser de tout ou partie de certains examens locaux de français ; peut permettre d'obtenir une promotion, un avancement, une prime salariale ; peut être pris en compte pour un recrutement professionnel, pour une promotion dans une entreprise française ou francophone, pour une formation ; peut permettre d'obtenir l'autorisation d'enseigner ; peut donner lieu à la délivrance d'une attestation locale de compétence...

Les titulaires du DELF B2 sont par ailleurs dispensés de tout test linguistique d'entrée dans les universités françaises[1].

L'appellation « DELF» est ainsi devenue, au fil des années, une référence, une sorte de « label France » indispensable pour qui souhaite faire certifier ses compétences en français.

Le DELF est constitué de **4 diplômes indépendants les uns des autres** correspondant aux 4 premiers niveaux du *Cadre européen commun de référence pour les langues* (CECRL) :

2h30	DELF B2	B2	**Indépendant**
1h45	DELF B1	B1	
1h40	DELF A2	A2	**Élémentaire**
1h20	DELF A1	A1	

Chaque diplôme évalue les 4 compétences : compréhension et expression orales, compréhension et expression écrites. L'obtention de la moyenne (50 points sur 100) à l'ensemble des épreuves permet la délivrance du diplôme correspondant.

La commission nationale du DELF et du DALF vous souhaite une bonne lecture, un bon entraînement et une bonne réussite au(x) diplôme(s) DELF que vous présenterez.

Christine TAGLIANTE
Responsable du Département évaluation et certifications
CIEP - Sèvres

(1) Arrêté du 18 janvier 2008, paru au Journal officiel du 5 février 2008.

Avant-propos

Vous commencez à apprendre le français et vous souhaitez vous préparer au DELF (diplôme d'études en langue française) qui valide le niveau A1 du *CECR* (*Cadre européen commun de référence pour les langues*) ? « Réussir le DELF A1 – Adultes » vous propose des conseils, des exercices d'entraînement et des exemples d'épreuves pour vous aider à passer ce diplôme avec succès !

Pourquoi vous présenter au DELF A1 ?

- Ce diplôme atteste de vos compétences en français telles que le *Cadre européen commun de référence pour les langues* les définit[1] :

UTILISATEUR ÉLÉMENTAIRE

A1	Peut comprendre et utiliser des expressions familières et quotidiennes ainsi que des énoncés très simples qui visent à satisfaire des besoins concrets. Peut se présenter ou présenter quelqu'un et poser à une personne des questions la concernant - par exemple, sur son lieu d'habitation, ses relations, ce qui lui appartient, etc. - et peut répondre au même type de questions. Peut communiquer de façon simple si l'interlocuteur parle lentement et distinctement et se montre coopératif.

- Ce diplôme vous permet de justifier votre niveau auprès d'écoles ou d'universités, d'employeurs ou d'administrations dans le monde entier.
- L'obtention de ce diplôme vous encourage à poursuivre vos études en langue française et à entrer en contact avec des Francophones.

La démarche rigoureuse du livre vous accompagne progressivement vers une épreuve identique à celle du DELF A1 :

- Les grilles de notation officielles, commentées, permettent de comprendre les critères d'évaluation de l'épreuve.
- Chaque compétence langagière (compréhension de l'oral et des écrits, production/ interaction écrite et orale) est travaillée systématiquement en 3 parties : **Pour vous aider - Pour vous entraîner – Vers l'épreuve.**
- À la fin de chaque chapitre, une grille d'autoévaluation vous permet de vérifier vos acquis.
- L'épreuve blanche proposée suit strictement les recommandations officielles de la Commission nationale DELF DALF.
- Les dossiers socioculturels respectent les 4 domaines du CECRL[2] et sont écrits dans une langue facile, compréhensible pour un étudiant de niveau A1. Ils sont un complément nécessaire à l'approfondissement de vos connaissances de la France et à la préparation des épreuves.

Nous espérons que tous ces éléments vous encouragent dans votre apprentissage du français et nous vous souhaitons un travail sérieux et agréable, couronné de succès !

Bruno Girardeau – Nelly Mous
Chargés de programmes
Département évaluation et certifications
Bureau DILF-DELF-DALF
CIEP-Sèvres

(1) Cadre européen commun de référence pour les langues, Ed Didier, page 25.
(2) Domaine personnel, domaine public, domaine éducationnel, domaine professionnel dans : *Cadre européen commun de référence pour les langues*, Ed Didier, page 41.

SOMMAIRE

Le picto 🔘 **18** vous indique le numéro de la piste du CD à écouter pour faire l'activité.

Des conseils pour l'épreuve de la production écrite et de la production orale

Pour l'exercice 1 (le formulaire), chaque réponse est notée sur 1 point.
Attention à :
- écrire lisiblement,
- bien orthographier les mots que vous connaissez.

Pour l'exercice 2 (production écrite), voici la grille d'évaluation.

■ EXERCICE 2   (15 points)

Critères		0	0,5	1	1,5	2	2,5	3	3,5	4
Respect de la consigne Peut mettre en adéquation sa production avec la situation proposée. Peut respecter la consigne de longueur minimale indiquée.		0	0,5	1	1,5	2				
Correction sociolinguistique Peut utiliser les formes les plus élémentaires de l'accueil et de la prise de congé. Peut choisir un registre de langue adapté au destinataire (tu/vous).		0	0,5	1	1,5	2				
Capacité à informer et/ou à décrire Peut écrire des phrases et des expressions simples sur soi-même et ses activités.		0	0,5	1	1,5	2	2,5	3	3,5	4
Lexique/orthographe lexicale Peut utiliser un répertoire élémentaire de mots et d'expressions relatifs à sa situation personnelle. Peut orthographier quelques mots du répertoire élémentaire.		0	0,5	1	1,5	2	2,5	3		
Morphosyntaxe/orthographe grammaticale Peut utiliser avec un contrôle limité des structures, des formes grammaticales simples appartenant à un répertoire mémorisé.		0	0,5	1	1,5	2	2,5	3		
Cohérence et cohésion Peut relier les mots avec des connecteurs très élémentaires tels que « et », « alors ».		0	0,5	1	1,5	2				

Critère 1 :
répondre au type [co]urrier et au sujet / [vé]rifier le nombre [d]e mots écrits.

Critère 2 :
au début et à la fin [de vo]tre texte / Choisir [« t]u » ou « vous » [pour] tout votre texte.

Critère 3 :
[do]nner toutes les [inform]ations demandées.

Critère 4 :
[contrô]ler l'orthographe [de]s mots écrits.

Critère 5 :
[contrô]ler la conjugaison [au pré]sent, le masculin [et le fé]minin, le singulier et le pluriel.

Critère 6 :
[mettr]e aussi la virgule [et] le point « . » et la [majuscu]le après le point.

Conseils à partir de la grille d'évaluation de la production écrite

Retrouvez les 3 parties de la production orale (l'entretien dirigé, l'échange d'informations et le dialogue simulé), de la page 85 à la page 100.

1 ENTRETIEN DIRIGÉ *(1 minute environ)*

Peut se présenter et parler de soi en répondant à des questions personnelles simples, lentement et clairement formulées.	0	0,5	1	1,5	2	2,5	3	3,5	4	4,5	5

2 ÉCHANGE D'INFORMATIONS *(2 minutes environ)*

Peut poser des questions personnelles simples sur des sujets familiers et concrets et manifester qu'il/elle a compris la réponse.	0	0,5	1	1,5	2	2,5	3	3,5	4

3 DIALOGUE SIMULÉ (OU JEU DE RÔLE) *(2 minutes environ)*

Peut demander ou donner quelque chose à quelqu'un, comprendre ou donner des instructions simples sur des sujets concrets de la vie quotidienne.	0	0,5	1	1,5	2	2,5	3	3,5	4
Peut établir un contact social de base en utilisant les formes de politesse les plus élémentaires.	0	0,5	1	1,5	2	2,5	3		

■ POUR L'ENSEMBLE DES 3 PARTIES DE L'ÉPREUVE

Lexique (étendue) / correction lexicale Peut utiliser un répertoire élémentaire de mots et d'expressions isolés relatifs à des situations concrètes.	0	0,5	1	1,5	2	2,5	3
Morphosyntaxe / correction grammaticale Peut utiliser de façon limitée des structures très simples.	0	0,5	1	1,5	2	2,5	3
Maîtrise du système phonologique Peut prononcer de manière compréhensible un répertoire limité d'expressions mémorisées.	0	0,5	1	1,5	2	2,5	3

Critère 1 : Utiliser le maximum de mots et d'expressions connus correspondant au différents sujets.

Critère 2 : Contrôler la conjugaison du présent, le masculin et le féminin, le singulier et le pluriel.

Critère 3 : Prononcer clairement les mots que vous connaissez.

COMPRÉHENSION DE L'ORAL

Descripteur global

✓ Peut comprendre une intervention si elle est lente et soigneusement articulée et comprend de longues pauses qui permettent d'en assimiler le sens.

✓ Peut comprendre des expressions familières et quotidiennes ainsi que des énoncés très simples formulés directement, lentement et clairement, visant à satisfaire des besoins concrets.

Comprendre des annonces et instructions orales

✓ Peut comprendre des instructions qui lui sont adressées lentement et avec soin et suivre des directives courtes et simples.

✓ Peut comprendre des indications simples relatives aux déplacements et aux achats.

pour vous **aider**

➡ NATURE DE L'ÉPREUVE ET SAVOIR-FAIRE REQUIS

Dans cette première partie de l'épreuve du DELF A1, vous devez écouter des documents audio et répondre à des questions de compréhension.

Vous allez <u>répondre</u> à des questions de différentes formes :

Pour répondre aux questions, cochez (☒) la bonne réponse ou écrivez l'information demandée.

 Vous devez **cocher** la bonne réponse (mettre une croix dans la case).

 Vous devez **écrire** des numéros, des chiffres.

 Vous devez **écrire** un mot ou une courte phrase.

 Vous devez **relier** une information à une autre.

L'épreuve de compréhension orale est composée de 4 exercices :

Exercice 1 : identifier un événement.

Exercice 2 : identifier une activité.

Exercice 3 : comprendre des instructions.

Exercice 4 : identifier des situations.

Pour réaliser ces activités, cet ouvrage propose des exercices pour vous entraîner à :

• comprendre des informations chiffrées ;

• identifier un lieu, une situation, un événement ;

• identifier une personne, son attitude et ses sentiments ;

• comprendre des instructions pour réaliser une tâche de la vie quotidienne.

➡ LES SUJETS

Vous allez <u>écouter</u> différents types de documents sonores :

- des messages personnels laissés sur le répondeur,
- des annonces dans différents lieux publics (magasin, gare, aéroport...),
- de brèves informations ou des publicités entendues à la radio,
- des instructions simples enregistrées,
- des mini-dialogues entre 2 personnes extraits de conversations de la vie quotidienne.

➡ QUELQUES CONSEILS

La consigne des exercices est la même pour les 3 premiers exercices :

« Vous allez entendre 2 fois un document. Il y aura 30 secondes de pause entre les 2 écoutes puis vous aurez 30 secondes pour vérifier vos réponses. Lisez les questions. »

La consigne pour l'exercice 4 est la suivante :

« Vous allez entendre plusieurs petits dialogues correspondant à des situations différentes.

Vous avez 15 secondes de pause après chaque dialogue.

Puis vous allez entendre une seconde fois les dialogues pour compléter vos réponses.

Regardez d'abord les images. »

L'épreuve de compréhension orale se déroule toujours ainsi :

Étape 1 : vous lisez et écoutez la consigne.

Étape 2 : vous lisez les questions et/ou regardez les images.

Étape 3 : vous écoutez le document audio (1ère écoute).

Étape 4 : vous répondez aux questions.

Étape 5 : vous écoutez encore le document audio (2ème écoute).

Étape 6 : vous complétez vos réponses.

Bonne chance !

pour vous **entraîner**

1 Comprendre une information chiffrée

→ L'heure

Observez :

En français, on peut dire l'heure de deux ou trois façons différentes, par exemple :

Il est deux heures trente.
Il est deux heures et demie.
Il est quatorze heures trente.

Il est dix-neuf heures quarante-cinq.
Il est huit heures moins le quart.

Il est quinze heures quinze.
Il est trois heures et quart.

Il est vingt-trois heures.
Il est onze heures.

Activité 1

Vous écoutez la radio.

Quelle heure annonce la radio ?

❑ 7 h 30.

❑ 13 h 30.

❑ 16 h 30.

Activité 2

Vous entendez cette conversation dans la rue en France.

À quelle heure est le rendez-vous de cette personne ?

❑ 12 h 10.

❑ 12 h 20.

❑ 12 h 30.

Activité 3

Vous entendez ce message sur votre répondeur.

À quelle heure la personne laisse ce message ?

☐ 14 h 00.

☐ 14 h 30.

☐ 15 h 00.

Activité 4

Vous entendez cette annonce à la gare.

Le train est annoncé avec combien de minutes de retard ?

.... minutes.

> **Observez :**
>
> Attention à ne pas vous tromper, certains chiffres se prononcent presque de la même façon !
>
> Il est deu**x_h**eures (2 h 00 ; 14 h 00)
> Il est douze heures (12 h 00)

Activité 5

Vous entendez ce message sur votre répondeur.

À quelle heure est le rendez-vous demain ?

.... h ....

Activité 6

Vous entendez cette conversation à la gare, en France.

À quelle heure part le prochain train pour Rennes ?

.... h ....

pour vous **entraîner**

→ Le prix

Activité 7

Vous êtes en France dans une boulangerie et vous entendez cette conversation.

L'homme doit payer :

❏ 8,15 €.

❏ 20 €.

❏ 11,85 €.

Activité 8

Vous êtes en France sur un marché, vous entendez cette conversation.

Quel est le prix du kilo de pommes ?

❏ 2,50 €.

❏ 5 €.

❏ 5,50 €.

Activité 9

Vous êtes à la gare en France et vous entendez cette conversation.

Quel est le prix d'un aller-retour pour Bordeaux ?

.... €.

→ La quantité

Activité 10

Vous êtes sur un marché en France.

Combien de kilos de pommes de terre demande l'homme ?

.... kg.

Activité 11

Vous êtes dans un magasin en France et vous entendez cette conversation.

La jeune femme veut acheter combien de paires de chaussettes ?

.... paires de chaussettes.

Activité 12

Vous êtes dans une cafétéria en France et vous entendez cette conversation.

La femme paye combien de formules ?

❏ 2.

❏ 3.

❏ 6.

→ La date

 Activité 13

Vous entendez cette conversation à la mairie de Lyon.

Quand est né monsieur Valvert ?

Le ...../....../.........

Activité 14

Vous entendez cette conversation.

Le rendez-vous chez le dentiste est le :

❏ vendredi 25 mars.

❏ samedi 25 mars.

❏ samedi 26 mars.

Activité 15

Vous entendez cette conversation chez des amis en France.

Quelle est la date du mariage de Nadège et Maximilien ?

❏ Le 9 août.

❏ Le 19 août.

❏ Le 29 août.

pour vous **entraîner**

→ L'âge

Activité 16

Un ami français vous annonce son anniversaire.

Quel âge va avoir cette personne ?

.... ans.

Activité 17

Vous entendez cette conversation chez des amis français.

1. Quel âge a Jean-Marc ?

❑ 40 ans.

❑ 45 ans.

❑ 51 ans.

2. Quel est l'âge de Louise ?

❑ 40 ans.

❑ 45 ans.

❑ 51 ans.

Activité 18

Vous entendez cette conversation dans un cinéma.

Quel âge a le jeune homme ?

.... ans.

→ Numéro de train, de vol, de bus

Activité 19

Vous êtes à l'aéroport de Roissy.

Quel est le numéro du vol ?

....

Activité 20

Vous êtes à la gare de Paris-Montparnasse.

Quel est le numéro du train ?

....

Activité 21

Vous êtes à la gare de Saint-Pierre-des-Corps.

Quel est le numéro du TGV ?

....

Activité 22

Vous entendez cette conversation en France.

Quel est le numéro du bus pour aller aux Halles ?

❑ 4.

❑ 6.

❑ 8.

→ **Numéro de téléphone**

Activité 23

Vous entendez ce message sur votre répondeur.

Notez le numéro de téléphone d'Élodie.

...... ● ...... ● ...... ● ...... ● ...... ● ......

Activité 24

Vous téléphonez à monsieur Lafarge. Il est absent, vous écoutez son répondeur.

Notez le numéro de téléphone de monsieur Lafarge.

...... ● ...... ● ...... ● ...... ● ...... ● ......

Activité 25

Vous recevez un message. Vous écoutez votre répondeur.

Notez le numéro de téléphone de Nathalie.

...... ● ...... ● ...... ● ...... ● ...... ● ......

pour vous **entraîner**

2 Identifier un événement

→ **Comprendre un message sur le répondeur, un événement à venir…**

Activité 26

Vous entendez ce message sur votre répondeur.

1. Juliette vous appelle pour vous inviter…

❑ à son mariage.

❑ à son anniversaire.

❑ à son spectacle de danse.

2. Paul et Jeannette sont…

❑ à un mariage.

❑ à un anniversaire.

❑ à un spectacle de danse.

Activité 27

Vous écoutez ce message vocal.

1. Pierre vous appelle pour…

❑ fixer un rendez-vous avec vous.

❑ annuler votre rendez-vous de l'après-midi.

❑ vous donner rendez-vous au club de tennis.

2. Où est Pierre à 13 h 00 ?

....

Activité 28

Vous allez entendre 6 personnes. Elles sont en train de faire quelque chose.

Notez le numéro de la phrase qui correspond à l'image.

A. Phrase n° ....

B. Phrase n° ....

C. Phrase n° ....

D. Phrase n° ....

E. Phrase n° ....

F. Phrase n° ....

 Activité 29

Reliez chaque personne à son loisir préféré comme dans l'exemple :

Vous entendez la **phrase 1** : *Je suis Christophe, je déteste aller cinéma et je préfère rester chez moi regarder des films à la télévision.*

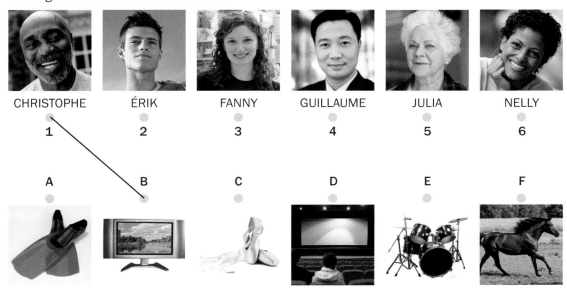

pour vous **entraîner**

Activité 30

Vous écoutez un message sur votre répondeur.

1. Jules vous donne rendez-vous pour aller...

A ❑

B ❑

C ❑

2. Vous devez apporter...

A ❑

B ❑

C ❑

2. Où est le rendez-vous avec Jules ?

....

Activité 31

Vous écoutez votre répondeur.

1. Qu'est-ce qu'il y a vendredi ?

A ❑

B ❑

C ❑

2. Qu'est-ce que vous devez apporter ?

❑ De l'eau.

❑ Des fruits.

❑ Du fromage.

3. Vous devez téléphoner à :

❑ Myriam.

❑ Franck.

❑ Stéphane.

→ Comprendre une attitude, un sentiment

Activité 32

Vous allez entendre 6 phrases correspondant à 6 sentiments.

Écrivez le numéro de la phrase qui correspond au sentiment.

En colère	Triste	Content(e)	Fatigué(e)	Malade	Inquiet(-ète)
n°..........	n°..........	n°..........	n°..........	n°..........	n°..........

Activité 33

Vous avez invité six amis français à dîner chez vous. Écoutez leur réponse sur votre répondeur et dites qui vient, qui ne vient pas et qui vient peut-être.

Cochez (☒) la bonne réponse.

	Vient	Ne vient pas	Vient peut-être
Bruno			
Marjolaine			
Maud			
Roselyne			
Sylvie			
Yves			

pour vous **entraîner**

3 Identifier une activité

Activité 34

Vous entendez cette annonce dans un supermarché. Répondez aux questions.

1. Le magasin offre une réduction de .... %.

2. Cette promotion est valable sur quel article ?

A ❑

B ❑

C ❑

3. Combien de temps dure cet événement ?

❑ 10 minutes.

❑ 20 minutes.

❑ 30 minutes.

Activité 35

Vous entendez cette annonce à la radio. Répondez aux questions.

1. Vous pouvez gagner des places pour...

❑ visiter la ville de Paris.

❑ partir sous les Tropiques.

❑ aller écouter un groupe de musique.

2. Le cadeau à gagner est pour quel mois ?

....

3. Complétez le numéro de téléphone de la radio.

01 ....

4. Quel mot de passe vous devez donner pour gagner une place ?

....

4 Comprendre des instructions simples enregistrées

→ Identifier le lieu, un itinéraire

Activité 36

Vous allez entendre 4 personnes. Elles disent où elles vivent.

Écrivez le numéro de la phrase sous la photo correspondante.

A	**B**	**C**	**D**
Phrase n°	Phrase n°	Phrase n°	Phrase n° ....

Activité 37

Vous écoutez un message sur votre répondeur. Répondez aux questions.

Cochez les endroits où vous devez faire vos courses.

A ❑   B ❑   C ❑

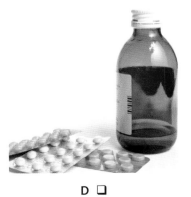 

D ❑   E ❑

pour vous **entraîner**

 Activité 38

Vous écoutez un message sur votre répondeur. Répondez aux questions.

Tracez le chemin pour arriver chez Julie.

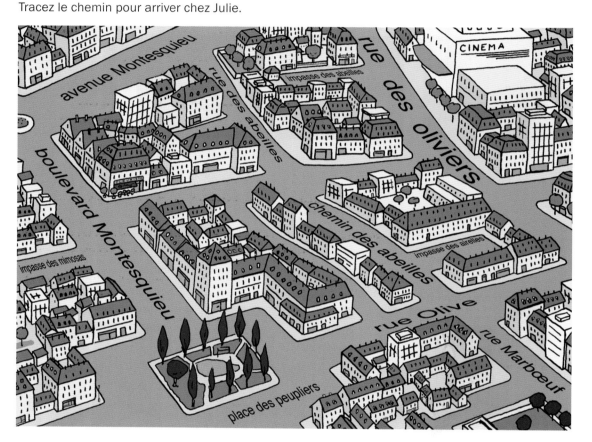

→ Identifier des personnes

Phonétique

Pour chacune des phrases entendues, dites s'il s'agit d'un homme ou d'une femme.

	Homme	Femme
1.		
2.		
3.		
4.		
5.		
6.		
7.		

Activité 39

Vous habitez en France avec une personne âgée. Elle décrit une vieille photo de ses amis. Écoutez et écrivez le prénom des personnes décrites (Jeanne, Lætitia, Julie, Luca, Maxime) et retrouvez où se trouve cette dame.

pour vous **entraîner**

 Activité 40

Vous êtes à l'aéroport d'Orly. Une personne doit vous accueillir. Regardez cette image, écoutez la description et entourez la personne qui correspond.

 Activité 41

Vous regardez un film policier en français. Écoutez et cochez l'image qui correspond à la description.

Yvan Skivol	Jean Tourloupe	Bernard Cotique
A ❑	B ❑	C ❑

→ Comprendre le temps qu'il fait, la météo

 Activité 42

Vous allez entendre 4 phrases correspondant à des informations météorologiques.

Écrivez le numéro de la phrase sous la carte correspondante.

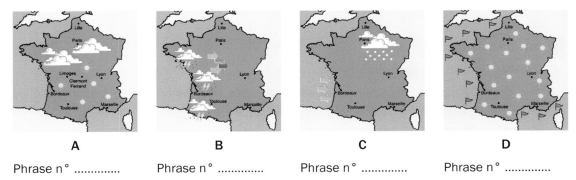

A

B

C

D

Phrase n° ....   Phrase n° ....   Phrase n° ....   Phrase n° ....

 Activité 43

Vous êtes en vacances à Toulouse et vous souhaitez organiser une sortie entre amis. Vous écoutez le bulletin météorologique de la journée.

1. Quel temps il fait ?

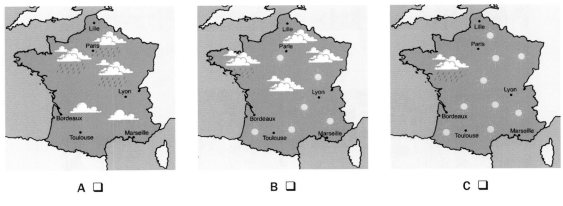

A ☐   B ☐   C ☐

2. Il fait quelle température à Toulouse ?

....

→ Reconnaître une activité sportive, professionnelle

 Activité 44

Jean vous parle de sa famille. Complétez le tableau suivant :

Membre de la famille de Jean	Âge	Profession	Activité sportive pratiquée
Père			
Mère			
Frère			
Sœur			

pour vous **entraîner**

5 Identifier des situations

 Activité 45

Vous allez entendre 5 petits dialogues correspondant à des situations différentes.

Vous avez 15 secondes de pause après chaque dialogue. Puis vous allez entendre une seconde fois les dialogues pour compléter vos réponses. Regardez d'abord les images.

Écrivez le numéro du dialogue sous l'image qui correspond.

Attention il y a 6 images et seulement 5 dialogues !

A

Situation n°......................................

B

Situation n°......................................

C

Situation n°......................................

D

Situation n°......................................

E

Situation n°......................................

F

Situation n°......................................

Pour répondre aux questions, cochez (☒) la bonne réponse ou écrivez l'information demandée.

EXERCICE 1   **4 POINTS**

*Vous allez entendre **2 fois** un document. Il y aura 30 secondes de pause entre les 2 écoutes. Puis, vous aurez 30 secondes pour vérifier vos réponses. Lisez les questions.*

Vous entendez ce message sur votre répondeur. Répondez aux questions.

1. Qu'est-ce que vous allez faire dimanche avec Juliette ?   *1 point*

A ❑   B ❑   C ❑

2. À quelle heure est le rendez-vous ?   *1 point*

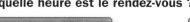

❑   ❑   ❑

3. Le rendez-vous est où ?   *1 point*

....

4. Qu'est-ce que vous devez apporter ?   *1 point*

....

vers l'**épreuve**

 EXERCICE 2 5 POINTS

Vous allez entendre 2 fois un document. Il y aura 30 secondes de pause entre les 2 écoutes. Puis, vous aurez 30 secondes pour vérifier vos réponses. Lisez les questions.

Vous entendez cette information à la radio. Répondez aux questions.

1. Le chanteur Calogero va venir... *1 point*

❑ à Paris.

❑ à Toulouse.

❑ à Bordeaux.

2. Le concert a lieu quel jour ? *2 points*

....

3. Le chanteur Calogero fête... *1 point*

❑ son anniversaire.

❑ son dernier album.

❑ son premier concert.

4. Complétez le numéro de téléphone pour réserver votre place. *1 point*

01. _____ . _____ . _____ . _____ *(0,25 point par réponse)*

 EXERCICE 3 6 POINTS

Vous allez entendre 2 fois un document. Il y aura 30 secondes de pause entre les 2 écoutes. Puis, vous aurez 30 secondes pour vérifier vos réponses. Lisez les questions.

Vous écoutez ce message sur votre répondeur. Répondez aux questions.

1. Pour répondre à l'offre, vous devez... *1 point*

❑ aller sur Internet.

❑ écrire à l'agence.

❑ contacter madame Lecoz.

2. Quelle est la référence de l'offre d'emploi ? *2 points*

....

3. Il faut répondre avant quelle date ? *1 point*

❑ Le 8 avril.

❑ Le 18 avril.

❑ Le 28 avril.

4. Madame Lecoz veut une photocopie de quel document ? *2 points*

....

EXERCICE 4 **10 POINTS**

(2 points par réponse correcte)

Vous allez entendre plusieurs petits dialogues correspondant à des situations différentes.
Il y aura 15 secondes de pause après chaque dialogue. Puis vous entendrez à nouveau les dialogues et pourrez compléter vos réponses. Regardez d'abord les images.

Écrivez le numéro du dialogue sous l'image qui correspond.

Attention, il y a 5 dialogues et 6 images !

A

Situation n°.....................

B

Situation n°.....................

C

Situation n°.....................

D

Situation n°.....................

E

Situation n°.....................

F

Situation n°.....................

AUTOÉVALUATION

	OUI	PAS TOUJOURS	PAS ENCORE
Je peux comprendre une information chiffrée telle que l'heure, le prix, la date, le numéro d'un train, d'un vol...			
Je peux comprendre un message sur le répondeur indiquant un événement à venir.			
Je peux comprendre des instructions très simples pour réaliser une tâche de la vie quotidienne.			
Je peux comprendre une attitude, un sentiment.			
Je peux identifier un lieu, un itinéraire.			
Je peux identifier des personnes.			
Je peux comprendre le temps qu'il fait, un bulletin météorologique.			
Je peux reconnaître une activité sportive, professionnelle.			
Je peux identifier différentes situations de la vie quotidienne.			

Transcriptions

Activité 1 p. 12 - Piste 2
Bonjour, il est sept heures et demie sur radio France, nous sommes ravis de vous retrouver !

Activité 2 p. 12 - Piste 3
Je ne peux pas rester, mon rendez-vous est à midi 20 et il est déjà midi. À ce soir !

Activité 3 p. 13 - Piste 4
Je suis inquiète : il est quinze heures et notre rendez-vous était à quatorze heures trente...

Activité 4 p. 13 - Piste 5
Le train en provenance de Saint-Malo, arrivée prévue à dix-huit heures dix est annoncé avec un retard de trente minutes.

Activité 5 p. 13 - Piste 6
Bonjour, c'est Sylvie. L'heure du rendez-vous a changé pour demain. Ce n'est plus à treize heures quinze mais à quatorze heures. Désolée, à demain !

Activité 6 p. 13 - Piste 7
JEUNE HOMME. Le prochain train pour Rennes s'il vous plaît ?
HOMME. Vous avez le temps, c'est dans une heure ! À 20 heures 06 précisément !

Activité 7 p. 14 - Piste 8
HOMME. Merci madame, combien je vous dois ?
FEMME. Ça fera huit euros et quinze centimes s'il vous plaît.
HOMME. Je n'ai pas la monnaie, voilà vingt euros.
FEMME. Onze euros quatre-vingt-cinq qui font vingt. Au revoir monsieur !

Activité 8 p. 14 - Piste 9
FEMME. Quoi ! Cinq euros le kilo de fraises ! C'est beaucoup trop cher !
HOMME. Tu veux des pommes ? Regarde, elles sont à deux euros cinquante le kilo !
FEMME. Oui, mais ce n'est pas pareil !

Activité 9 p. 14 - Piste 10
CLIENTE. Un billet pour Bordeaux s'il vous plaît.
EMPLOYÉ. Un aller-retour ?
CLIENTE. Oui, je pars demain et reviens vendredi.
EMPLOYÉ. Ça fait quatre-vingt-dix-huit euros s'il vous plaît.

Activité 10 p. 14 - Piste 11
CLIENT. Bonjour madame ! Trois kilos de pommes de terre s'il vous plaît.
VENDEUSE. À deux euros le kilo, ça fait 6 euros monsieur. Merci !

Activité 11 p. 14 - Piste 12
FEMME. Mais tu n'as pas besoin de toutes ces chaussettes ! 2 paires suffisent !
JEUNE FILLE. Non, je les prends de toutes les couleurs. J'achète donc les 5 paires.

Activité 12 p. 15 - Piste 13
HOMME. Trois formules à 6 euros ça fera 18 euros, s'il vous plaît !
FEMME. Non, nous avons pris deux formules seulement et à 8 euros !
HOMME. Ah oui, pardon, alors 16 euros s'il vous plaît.

Activité 13 p. 15 - Piste 14
EMPLOYÉE. Votre nom ?
HOMME. VALVERT V.A.L.V.E.R.T.
EMPLOYÉE. Votre date de naissance ?
HOMME. Le vingt-deux, zéro huit, mille-neuf-cent-soixante-dix-sept.

Activité 14 p. 15 - Piste 15
HOMME. Tu te souviens de la date du rendez-vous chez le dentiste ?
FEMME. Oui, c'est le 25 mars je crois.
HOMME. Vendredi ? Mais c'est samedi le rendez-vous !
FEMME. Le 26 alors ?! Ah oui, regarde, je l'avais noté, c'est le samedi 26 mars à 16 h 00.

Activité 15 p. 15 - Piste 16
HOMME 1. C'est quand le mariage de Nadège et Maximilien ?
HOMME 2. C'est bientôt, c'est le 29 août !

Activité 16 p. 16 - Piste 17
HOMME. C'est bientôt le 23 février ! Je vais avoir 38 ans ! Eh oui, les années passent très vite !

Activité 17 p. 16 - Piste 18
FEMME 1. Mais quel âge a Jean-Marc ?
FEMME 2. 51 ans je crois.
FEMME 1. Ah, et Louise 45 ?
FEMME 2. Euh, non, 40.

Activité 18 p. 16 - Piste 19
FEMME. Je suis désolée mais ce film est violent, il est interdit aux moins de 16 ans.
JEUNE HOMME. Mais j'ai 20 ans, regardez ma carte d'identité !

Activité 19 p. 16 - Piste 20
Le vol Air France n° 8365 à destination d'Acapulco est annoncé avec 20 minutes de retard.

Activité 20 p. 16 - Piste 21
Le train n° 7823 à destination de la Rochelle va partir.

Activité 21 p. 17 - Piste 22
Votre attention s'il vous plaît ! Le TGV Lille-Europe n° 8765 est annoncé avec un retard de 15 minutes. Veuillez nous excuser.

Activité 22 p. 17 - Piste 23
JEUNE FEMME 1. Pardon madame, pour aller vers les Halles je dois prendre quel bus ?
JEUNE FEMME 2. Le n°4.
JEUNE FEMME 1. Ce n'est pas le n°8 ?
JEUNE FEMME 2. Pas du tout ! Pour aller aux Halles, il faut prendre le bus n°4 !

Transcriptions

Activité 23 p. 17 - Piste 24
Salut c'est Élodie, rappelle-moi s'il te plaît à mon bureau au 02.34.45.56.67. Merci, à tout à l'heure !

Activité 24 p. 17 - Piste 25
Bonjour, vous êtes bien sur le répondeur de monsieur Lafarge. Vous pouvez laisser un message avec vos coordonnées ou me joindre au 06.34.21.45.98. Merci, à bientôt.

Activité 25 p. 17 - Piste 26
Pour le repas demain soir chez Catherine, c'est à 20 heures chez elle. Tu peux téléphoner à Nathalie pour lui dire s'il te plaît ? Son numéro est le 02.47.45.54.62. Merci beaucoup, à demain !

Activité 26 p. 18 - Piste 27
Bonjour, c'est moi, Juliette ! J'espère que tu es disponible samedi soir, je fête mes 40 ans ! Marc vient après son spectacle de danse mais Paul et Jeannette sont à un mariage. Rappelle-moi pour confirmer. Bises, à bientôt !

Activité 27 p. 18 - Piste 28
C'est Pierre. Écoute, je vais chez le médecin à 13 heures. Je suis désolé pour notre rendez-vous cet après-midi, mais je pense avoir de la fièvre. Tu peux dire au club de tennis que je ne vais pas venir ce soir s'il te plaît. Merci, à bientôt.

Activité 28 p. 19 - Piste 29
1. Bonjour Gilles, je vais arriver en retard au bureau, il y a beaucoup de circulation ce matin.

2. Les invités arrivent dans deux heures et on n'a pas encore fini le ménage. Marc, passe l'aspirateur et toi Élodie va ranger ta chambre !

3. Je ne comprends rien à cette leçon de physique et les exercices sont beaucoup trop compliqués pour moi !

4. Mélangez deux œufs, 150 grammes de sucre et une pincée de sel. Ajoutez la farine et le lait.

5. Je ne comprends pas, le garagiste vient de réparer cette voiture et elle est encore en panne !

6. Je suis dans le jardin, je fais un peu de jardinage. Tu veux venir m'aider à tondre le gazon et planter quelques fleurs ?

Activité 29 p. 19 - Piste 30
1. Je suis Christophe, je déteste aller au cinéma et je préfère rester chez moi regarder des films à la télévision.

2. Salut, moi c'est Erik. Mon passe-temps favori ? Écouter la radio, mes CD, bref, j'adore la musique !

3. Bonjour, je m'appelle Fanny, les chevaux sont ma passion. Je monte à cheval deux fois par semaine. J'espère devenir professeur d'équitation !

4. Je m'appelle Guillaume et je peux vous parler de tous mes films préférés ! Les acteurs que j'apprécie le plus sont Isabelle Hupert et Matthieu Kassovitz.

5. Julia adore nager, elle pratique ce sport régulièrement.

6. Bonjour, je m'appelle Nelly, j'aime danser sur tous les genres de musique !

Activité 30 p. 20 - Piste 31
Salut ! C'est Jules. Pour notre rendez-vous demain à la piscine. N'oublie pas d'apporter ta carte d'étudiant et un peu d'argent, l'entrée est à 5 euros. À demain, 10 h 00, devant la poste. Je passe te prendre en voiture d'accord ? Allez, bonne soirée !

Activité 31 p. 20 - Piste 32
C'est moi, Myriam. Alors, pour le pique-nique de vendredi, je prépare une tarte au fromage et une salade de fruits. Tu peux apporter des jus de fruits et de l'eau minérale s'il te plaît ? J'appelle Franck pour lui dire, tu peux appeler Stéphane s'il te plaît ? Merci, à plus tard !

Activité 32 p. 21 - Piste 33
1. Allô ? Tu es où ? Ça fait maintenant plus d'une heure que je t'attends, j'espère que tout va bien et que tu n'as pas de problème. Rappelle-moi s'il te plaît !

2. Super ! C'est génial, je vais enfin pouvoir partir en vacances !

3. Tu ne viens pas à la fête ce soir ? J'aurais tellement aimé te présenter à mes amis...

4. Quelle journée ! J'ai mal partout ! Je crois que je vais prendre une bonne douche et après, au lit !

5. Allô Sophie, je suis désolée mais j'ai de la fièvre et je suis très enrhumée, je ne vais pas venir ce soir à ta soirée. Excuse-moi et passe une bonne soirée.

6. Ah non, pas encore ! C'est tous les jours la même chose, tu refuses d'aller à ton cours de mathématiques. Ça suffit maintenant !

Activité 33 p. 21 - Piste 34
Bruno. Oui, c'est Bruno. Merci beaucoup pour ton invitation mais je ne vais pas être là. Je pars pour quelques jours à Marseille. Je t'appelle à mon retour. Salut !

Marjolaine. C'est Marjolaine. Je t'appelle de mon lit. Je suis un peu malade, je crois que j'ai de la fièvre. Si je vais mieux demain, je viens chez toi mais ce n'est pas sûr. Merci, bonne soirée.

Maud. Salut, c'est Maud. Génial ton idée de repas chez toi ! J'accepte ton invitation avec plaisir ! Rappelle-moi pour me donner l'heure. Bises à plus !

Roselyne. Salut, c'est Roselyne. Encore une soirée ! Pourquoi pas ? Allez, j'apporte le dessert, d'accord ? ! Merci, bises.

Sylvie. C'est Sylvie, écoute je suis vraiment désolée mais je dois garder les enfants d'Isabelle et Stanley. Quel dommage ! Merci quand même. Au revoir !

Yves. Bonjour, c'est Yves à l'appareil. C'est très gentil de m'avoir invité. Je ne peux pas te donner une réponse maintenant. Je te confirme demain. Merci beaucoup.

Activité 34 p. 22 - Piste 35
Chers clients, nous vous informons qu'aujourd'hui votre magasin *Superprix* vous offre une réduction de 10 % sur tous les produits laitiers : yaourts, crèmes et fromage. Attention ! Cette promotion dure 20 minutes, dépêchez-vous !

Activité 35 p. 22 - Piste 36
Bonjour à tous, vous écoutez radio *Tropiques*, il est 12 h 30. Écoutez bien car vous allez pouvoir gagner des places pour le concert de Kassav à Paris, le 8 juillet. Appelez tout de suite votre radio préférée au 01.20.30.40.50, et donnez le mot de passe gagnant, aujourd'hui, c'est le mot *musique*. En attendant, voici la nouvelle chanson du groupe *Magic System* !

Activité 36 p. 23 - Piste 37
1. Je vis en Bretagne et ma maison se trouve en face de la mer. Je peux aller me promener sur la plage tous les jours. C'est un paysage très agréable été comme hiver, c'est calme, je n'entends que les oiseaux et le bruit des vagues.

2. J'habite un appartement en centre-ville. C'est très pratique pour faire mes courses près de chez moi parce qu'il y a plein de magasins, il y a même le marché tous les jeudis. C'est un peu bruyant avec les voitures qui passent dans la rue, mais je me sens bien chez moi !

3. Je suis une habituée de la ferme. Je vis depuis toujours à la campagne avec des poules, des cochons, des vaches et des lapins ! C'est un peu difficile comme vie mais je ne pourrais jamais vivre en ville dans un appartement !

4. Je suis un vrai montagnard ! J'ai un chalet en Auvergne et l'hiver je peux faire du ski tous les jours avec ma femme et mes enfants. On respire l'air pur des montagnes et pas la pollution des voitures !

Activité 37 p. 23 - Piste 38
C'est moi Aurélie, est-ce que tu peux faire quelques courses pour demain soir s'il te plaît, moi j'achète le cadeau d'anniversaire de Julie, le parfum. Choisis le gâteau s'il te plaît et puis achète quelques boissons. Je passe à la librairie pour acheter une carte de vœux. Merci beaucoup, à demain !

Activité 38 p. 24 - Piste 39
Oui, c'est encore moi, Aurélie, j'ai oublié de te dire comment aller chez Julie. De la Place des Peupliers, c'est très facile, tu peux y aller à pied. Va vers le boulevard Montesquieu. Ensuite, prends la première rue à droite et continue tout droit, je ne me souviens pas du nom de la rue mais je sais qu'il y a un fleuriste à l'angle. Au bout de cette rue, tourne à gauche dans la rue des Oliviers et cent mètres plus loin il y a un cinéma. C'est en face, dans l'impasse des Abeilles. Rappelle-moi si tu veux. Salut !

Phonétique p. 25 - Piste 40
1. Vous êtes blond.
2. Nous sommes rousses.
3. Vous êtes blonde.
4. Elle est châtain clair.
5. Dominique est grand et brun.
6. Nous sommes roux et petits.
7. Martine est brune aux yeux bleus.

Activité 39 p. 25 - Piste 41
Sur cette photo, il y a mes amis : la grande femme brune en robe rouge, c'est Jeanne. Laëtitia, elle, est plus petite et elle a les cheveux roux et longs, elle porte une robe à fleurs. Julie est entre Maxime et Lucas. Elle est brune aux yeux bleus, elle est très jolie ! Lucas est brun, il a les cheveux bouclés et il n'est pas très grand, il a les yeux verts. Maxime est cubain, il a la peau mate, c'est le grand en costume beige. Et moi, tu sais où je suis ?

Activité 40 p. 26 - Piste 42
Bonjour, pour votre arrivée, demain à l'aéroport d'Orly, mademoiselle Adèle SEDROB va venir vous chercher avec la voiture de service. C'est une jeune femme, plutôt grande avec de longs cheveux noirs bouclés. Elle va certainement porter sa tenue de travail, c'est-à-dire, une jupe noire, un chemisier blanc et des chaussures noires. Voilà, à demain !

Activité 41 p. 26 - Piste 43
Nous avons identifié 3 personnes de sexe masculin. Ce sont tous des voleurs, mais l'un d'eux est notre homme ! Il est blond aux yeux verts. Il a des moustaches mais ne porte pas de lunettes. Il est plutôt gros et petit et il est souvent vêtu d'un jean et d'une chemise.

Activité 42 p. 27 - Piste 44
1. Il va neiger sur tout le Nord de la France et le vent va souffler fort sur les côtes du Sud-Ouest.

2. Du soleil dans le Sud de la France ainsi qu'à Lyon, Clermont-Ferrand et Limoges. Ailleurs des nuages mais pas de pluie.

3. De violents orages vont avoir lieu dans l'Ouest de la France. Attention également aux rafales de vent dans la région Centre.

4. C'est l'été, le soleil est au rendez-vous, les plages ont toutes le drapeau vert ! Restez prudents tout de même !

Activité 43 p. 27 - Piste 45
Bonjour à tous ! Aujourd'hui du soleil sur quasiment toute la France ! Quelques nuages dans le Nord-Est et le Centre et un peu de pluies sur la Bretagne. Partout ailleurs, c'est le beau temps ! Les températures : il fera 12° à Paris, Lille et Strasbourg, 19° à Montpellier et Toulouse et c'est à Marseille qu'il fera le plus chaud avec 22 °. Bonne fête aux Pélagie et très bonne journée sur Chérie FM.

Activité 44 p. 27 - Piste 46
Ma mère adore aller nager, elle va à la piscine tous les vendredis soirs. Elle est vendeuse dans une boutique de vêtements. Elle va bientôt avoir soixante ans. Mon père, lui, a soixante-et-un ans, il est employé de banque. Il n'est pas très sportif mais il aime bien faire du vélo le dimanche. J'ai un frère de 24 ans et une sœur de 34 ans. Ils sont professeurs tous les deux ! Ma sœur enseigne le français et mon frère l'histoire et la géographie. Il est passionné de tennis et ma sœur danse tout le temps !

Transcriptions

Activité 45 p. 28 - Piste 47

Situation 1 :
- Bonjour madame, j'ai rendez-vous avec le professeur de ma fille. Monsieur Taloche.
- Oui, il est dans sa classe, au rez-de-chaussée à droite, salle 12.

Situation 2 :
- Bon, vous êtes prêts ? Vous allez être en retard pour l'école !
- Oui, oui, on arrive !

Situation 3 :
- Ouvrez vos livres page 32, nous allons traduire ce texte de Rousseau.
- Madame, j'ai oublié mon livre...
- Suis avec ton voisin alors !

Situation 4 :
- Enfin, la journée est finie ! on va pouvoir aller se reposer un peu !
- Mais on a des devoirs à faire et l'examen de demain à préparer !
- Ah, oui c'est vrai...

Situation 5 :
- Aujourd'hui, c'est le premier jour des cours à la fac !
- Bon courage !

Exercice 1 p. 29 - Piste 48

Vous allez entendre 2 fois un document. Il y aura 30 secondes de pause entre les 2 écoutes.
Puis, vous aurez 30 secondes pour vérifier vos réponses. Lisez les questions.
Allô ? C'est Juliette. Pour notre promenade en forêt dimanche, on se retrouve à 10 heures chez moi pour partir ensemble en voiture. N'oublie pas d'apporter le déjeuner, moi j'apporte les boissons et des biscuits ! Allez, à dimanche !

Exercice 2 p. 30 - Piste 49

Vous allez entendre 2 fois un document. Il y aura 30 secondes de pause entre les 2 écoutes.
Puis, vous aurez 30 secondes pour vérifier vos réponses. Lisez les questions.
Après Toulouse et Bordeaux, Calogero est bientôt en concert à Paris, au théâtre « Le Bataclan », le samedi 28 juin. Pour fêter la sortie de son dernier album, d'autres chanteurs célèbres vont venir sur scène pour chanter avec lui. Des duos superbes à ne pas manquer ! Réservez vite vos places, téléphonez au 01 41 45 53 55.

Exercice 3 p. 30 - Piste 50

Vous allez entendre 2 fois un document. Il y aura 30 secondes de pause entre les 2 wécoutes.
Puis, vous aurez 30 secondes pour vérifier vos réponses. Lisez les questions.
Bonjour, c'est madame Lecoz, de l'Agence pour l'emploi. Un salon de coiffure recherche un apprenti. Allez vite sur notre site internet, répondez à l'offre d'emploi référence A546 avant mercredi 18 avril. N'oubliez pas de laisser vos coordonnées et de joindre votre curriculum vitae. Envoyez-moi aussi une photocopie de votre titre de séjour pour votre dossier. Merci, au revoir.

Exercice 4 p. 31 - Piste 51

Vous allez entendre plusieurs petits dialogues correspondant à des situations différentes.
Il y aura 15 secondes de pause après chaque dialogue. Puis vous entendrez à nouveau les dialogues et pourrez compléter vos réponses. Regardez d'abord les images.

Situation 1
- Pour aller à l'université, je peux prendre quel bus ?
- C'est le numéro 10. Tu peux le prendre Place de la mairie et il s'arrête juste en face de l'université.

Situation 2
- Bonjour monsieur, pouvez-vous me dire où se trouve l'École de langues s'il vous plaît ?
- C'est tout près, vous voyez la boulangerie au bout de la rue ? Vous tournez à gauche et l'école est juste sur votre droite.
- Merci monsieur !

Situation 3
- Je ne sais plus où j'ai mis mon dictionnaire.
- Je crois qu'il est sur ton bureau.
- Ah oui ! Merci !

Situation 4
- L'école de langues propose la visite d'un château de la Loire !
- Génial lequel ?
- Chenonceau, ça va être utile pour mon cours d'histoire de l'art !

Situation 5
- Tu connais l'expression pour dire tous les jours ?
- Je crois que c'est quotidien. Par exemple, ton journal c'est un quotidien.
- Ah oui, il est édité tous les jours, c'est un quotidien.

COMPRÉHENSION DES ÉCRITS

Descripteur global

✓ Peut comprendre des textes très courts et très simples, phrase par phrase, en relevant des noms, des mots familiers et des expressions très élémentaires et en relisant si nécessaire.

Comprendre la correspondance

✓ Peut comprendre des messages simples et brefs sur une carte postale, un courrier électronique, une carte d'invitation...

Lire pour s'orienter

✓ Peut reconnaître les noms, les mots et les expressions les plus courants dans les situations ordinaires de la vie quotidienne (annonce, affiche, panneau d'affichage, plan, carte...).

Lire pour s'informer et discuter

✓ Peut se faire une idée du contenu d'un texte informatif assez simple, surtout s'il est accompagné d'un document visuel (affiche de spectacle, programme de cinéma, publicité, logo, catalogue, formulaire...).

Lire des instructions

✓ Peut suivre des indications brèves et simples (circuit touristique, panneau d'indications dans les lieux publics...).

pour vous **aider**

➡ NATURE DE L'ÉPREUVE ET SAVOIR-FAIRE REQUIS

L'épreuve de compréhension écrite constitue la deuxième partie de votre examen.

Elle dure 30 minutes.

Cette épreuve évalue votre capacité de repérage, de reconnaissance et de compréhension globale définie dans le *Cadre européen commun de référence* (pp . 57-59).

Vous devrez répondre aux questionnaires de 4 exercices portant sur des documents écrits.

Vous pouvez trouver ces documents dans des situations de la vie quotidienne, privée ou publique, dans le monde professionnel ou dans le monde scolaire ou universitaire.

Vous avez 30 minutes pour faire les 4 exercices proposés.

Vous avez donc de 6 à 8 minutes pour répondre au questionnaire de chaque exercice.

Vous pouvez faire les exercices dans l'ordre que vous voulez mais il faut de la méthode.

➡ LES SUJETS

Dans l'épreuve de compréhension écrite du DELF, tous les documents sont des messages simples et courts qui vous permettent :

- dans l'exercice 1, de **suivre des instructions simples,** dans des situations de votre **vie privée** ;

- dans l'exercice 2, de **lire pour vous orienter dans l'espace** dans des situations de la **vie publique** ;

- dans l'exercice 3, de **lire pour vous orienter dans le temps** dans des situations de la **vie professionnelle** ;

- dans l'exercice 4, de **lire pour vous informer** dans des situations d'**éducation ou de formation**.

➡ QUELQUES CONSEILS

Apprendre à lire vite le document

- repérer la fonction du document et son sens général (informer, donner un conseil, faire une proposition, donner un ordre...),

- reconnaître l'auteur et le destinataire (qui écrit à qui ?), le lieu d'émission et son objectif (où on peut trouver ce document et pour quoi faire ?).

Exemples de documents

a. Courrier personnel

Maria,

Attention, ceci est un message secret. Je te donne rendez-vous ce soir au bar des Victoires vers 8 heures. Je vois aujourd'hui notre chef et j'espère avoir une information très importante à te dire... Surtout, ne dis rien aux collègues ! Viens seule ! J'attends ce soir avec impatience pour fêter ça avec toi.

Bises

Gérald

Éléments à repérer

Qui ?	À qui ?	Quoi ?	Quand ?	Où ?	Pourquoi ?	Comment ?
Gérald	Maria	rendez-vous	ce soir 8 heures	bar des Victoires	information très importante	Viens seule

b. Affiche

Résidence les Trois Rivières

Conseils aux habitants de l'immeuble

- Respectez la tranquillité de vos voisins.
- Ne faites pas de bruit gênant entre 22 heures 30 et 7 heures.
- N'utilisez pas l'ascenseur pour les déménagements.
- Sortez les poubelles les mardis et jeudis avant 8 heures du matin.
- Ne laissez pas les animaux en liberté dans l'immeuble.
- Ne montez pas les vélos et scooters dans les étages.
- Contactez le concierge en cas d'urgence.

Merci d'avance.

Le directeur des Trois Rivières, le 8 juin 2010

Eléments à repérer

Vous devez reconnaître la situation publique où vous pouvez rencontrer ce document en recherchant **les mots clés.**

Dans le document proposé : *résidence, habitants, immeuble, voisins, étage, ascenseur, concierge.*

Vous devez comprendre **la fonction de ce document.**

Dans le document : conseils, verbes à l'impératif *(respectez, sortez...)*, interdictions avec verbes à l'impératif négatif *(ne faites pas, ne montez pas...).*

pour vous **entraîner**

1 Suivre des instructions simples

→ Situations de la vie privée

Bien comprendre les consignes :
- lire les questions et savoir quelles informations rechercher (qui ? quoi ? où ? quand ? pour faire quoi ?...),
- comprendre les symboles et verbes de la consigne (cochez ou choisissez 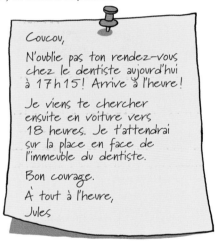 ,

écrivez ou complétez , reliez ou associez , tracez ou dessinez).

Activité 1

Lisez le document et cochez (☒) la bonne réponse.

> Coucou,
>
> N'oublie pas ton rendez-vous chez le dentiste aujourd'hui à 17h15 ! Arrive à l'heure !
>
> Je viens te chercher ensuite en voiture vers 18 heures. Je t'attendrai sur la place en face de l'immeuble du dentiste.
>
> Bon courage.
> À tout à l'heure,
> Jules

Observez :
Les messages sont des courriels personnels, des petits mots ou des textes de cartes postales.

Important de repérer :
Qui écrit ?
Pour dire ou faire quoi ?

1. Le message est pour...

☒ vous.

❑ Jules.

❑ le dentiste.

2. La personne écrit pour...

❑ prendre rendez-vous.

❑ changer un rendez-vous.

☒ rappeler un rendez-vous.

3. Où est le rendez-vous ?

❑ Chez Jules.

❑ Sur la place.

☒ Chez le dentiste.

Activité 2

Lisez les documents et répondez aux questions.

A

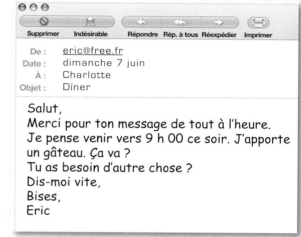

B

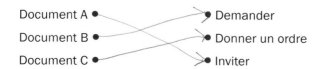

C

1. Notez la lettre de chaque document derrière le nom qui lui correspond.

un courriel : __B__   une carte postale : __A__   un petit mot : __C__

2. Reliez le document à sa fonction.

Document A •   • Demander

Document B •   • Donner un ordre

Document C •   • Inviter

pour vous **entraîner**

Activité 3

Lisez le document et répondez aux questions.

> **Répondre aux questions et contrôler ses réponses**
>
> **4 étapes importantes :**
> 1. Repérer les réponses dans le document après une première lecture.
> 2. Écrire les réponses.
> 3. Faire une deuxième lecture du document et des consignes.
> 4. Vérifier ses réponses.

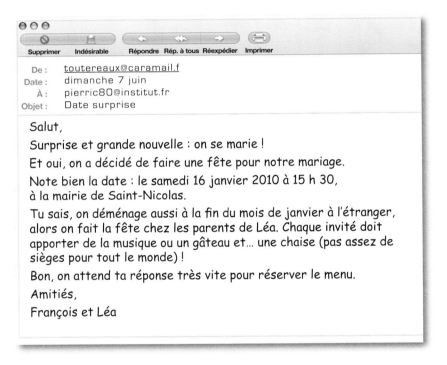

De : toutereaux@caramail.f
Date : dimanche 7 juin
À : pierric80@institut.fr
Objet : Date surprise

Salut,

Surprise et grande nouvelle : on se marie !

Et oui, on a décidé de faire une fête pour notre mariage.

Note bien la date : le samedi 16 janvier 2010 à 15 h 30, à la mairie de Saint-Nicolas.

Tu sais, on déménage aussi à la fin du mois de janvier à l'étranger, alors on fait la fête chez les parents de Léa. Chaque invité doit apporter de la musique ou un gâteau et… une chaise (pas assez de sièges pour tout le monde) !

Bon, on attend ta réponse très vite pour réserver le menu.

Amitiés,

François et Léa

1. Ce document parle...

❏ d'un événement.

❏ de deux événements.

❏ de trois événements.

2. François et Léa proposent...

❏ d'organiser une fête.

❏ d'assister à une cérémonie.

❏ de participer au déménagement.

3. Qu'est-ce qui se passe chez les parents de Léa ?

....

⚠

Observez :
Pour les questions avec des réponses courtes, il faut copier les mots ou la phrase du document qui correspondent à la réponse exacte.

4. Le destinataire du message doit venir avec quoi ? Cochez (☒) la bonne photo.

A ❑   B ❑

C ❑

pour vous **entraîner**

Activité 4

Lisez ce document et répondez aux questions.

> Chers amis,
>
> Vous pouvez utiliser le nouveau salon de jardin pendant votre séjour chez nous. Attention, merci de respecter ce mode d'emploi :
> - pensez à rentrer les chaises et la table dans le garage quand il pleut ;
> - ouvrez le grand parasol blanc quand il y a beaucoup de soleil ;
> - ne posez pas les assiettes ou les verres directement sur la table ;
> - lavez correctement le salon tous les soirs.
>
> Bon séjour à la maison !
>
> La famille Ménage

1. Ce message est...

❏ sympathique.   ❏ autoritaire.   ❏ amusant.

Observez :
La forme du document se présente avec une liste. Cela correspond très souvent à des instructions. Un message d'amis peut aussi être autoritaire.

2. Dans le message, la famille Ménage donne...

❏ des instructions.

❏ des conseils.

❏ des idées.

3. Dans ce message, il faut faire attention à quels objets ? Citez 3 objets.

Objet 1 : ....

Objet 2 : ....

Objet 3 : ....

4. Les amis doivent aussi faire attention au temps qu'il fait.

Reliez la météo au dessin qui correspond.

pour vous **entraîner**

2 Lire pour vous orienter dans l'espace

→ Situations de la vie publique

Activité 5

Lisez le document et répondez aux questions.

> **Observez :**
> Pour cette activité, vous devez repérer les adresses, les lieux et les directions indiqués.

1. Le document...

❑ propose un nouveau spectacle.

❑ annonce des nouveaux tarifs.

❑ invite à des concerts gratuits.

2. Vous venez pour écouter un concert, vous vous présentez au...

❑ 5, rue Léonard de Vinci.

❑ 7, rue Léonard de Vinci.

❑ 1, rue Littré.

3. Vous voulez réserver vos concerts pour toute l'année. À quelle adresse allez-vous les payer ?

....

....

Activité 6

Lisez le document et répondez aux questions.

> **Chère cliente, cher client,**
>
> Votre agence bancaire déménage.
> Vous êtes invité(e) à l'ouverture de notre nouvelle agence
> lundi prochain à 10 heures
> au 8, rue Simon Letescou.
>
> **La direction**
>
> **Pour venir**
> En voiture : prendre l'avenue François 1er, puis deuxième rue à gauche. Utiliser le parking Gambetta à droite. Des places sont réservées au deuxième sous-sol. Sortir par la porte B, rue Simon Letescou.
> En transport public : prendre les bus n°7 ou n°11, descendre à l'arrêt Montferrand face au parking Gambetta. Faire le tour du parking, la nouvelle agence est derrière le parking, rue Simon Letescou.

1. Le courrier de la banque annonce...

❑ sa date d'ouverture.

❑ ses jours d'ouverture.

❑ ses horaires d'ouverture.

2. La banque propose un itinéraire pour quel moyen de transport ?

A ❑

B ❑

C ❑

pour vous **entraîner**

Observez :
Pour tracer un itinéraire, vous devez bien situer le point de départ puis suivre les directions proposées.
Prenez un stylo et tracez clairement l'itinéraire jusqu'au point d'arrivée. Il y a seulement une possibilité !

▽

3. Vous venez en bus à la banque. Dessinez votre itinéraire à partir de la place Victor Hugo.

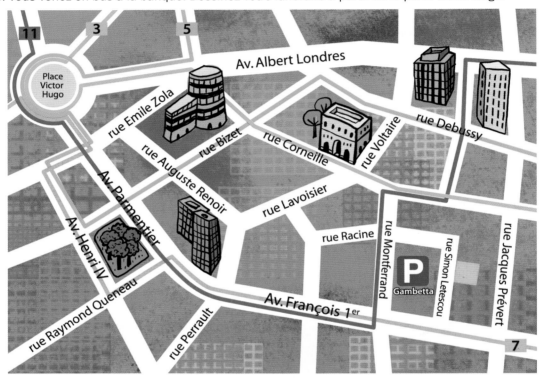

Activité 7

Lisez les documents et répondez aux questions.

> ## Attention, certains bureaux de la mairie sont fermés pour cause de travaux
>
> Les bureaux pour la culture et les écoles sont installés dans la salle 8.
>
> Les bureaux des adjoints sont fermés. Ils sont déplacés dans le bureau du maire.
>
> Les salons de réception sont utilisés pour les mariages : les salles des mariages sont fermées pendant la durée des travaux.
>
> L'escalier d'honneur est bloqué. Seul l'ascenseur fonctionne.

Observez :

Vous pouvez avoir deux documents : un texte et un plan. Il faut bien lire le texte, chercher les indications sur le plan et faire correspondre les informations des deux documents.

▽

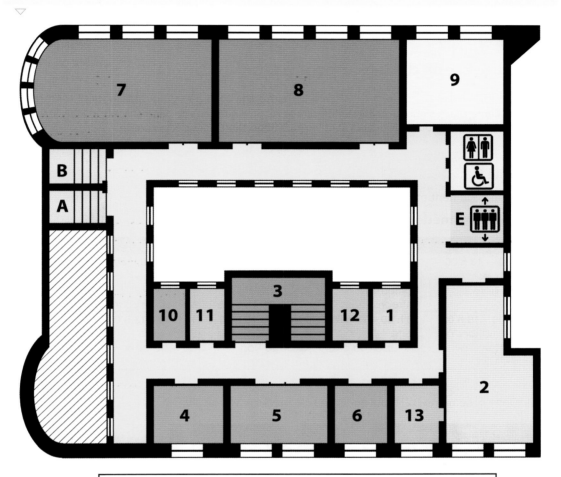

Nouvelle numérotation

1 - bureau des affaires culturelles
2 - bureau du maire
3 - escalier d'honneur
4 - 5 - 6 - salles des mariages
7 - 8 - salons de reception

9 - salle d'attente
10 - bureau des écoles
11 - 12 - 13 - bureaux des adjoints au maire
A - accès au 2e étage

1. Pendant les travaux, qu'est-ce qu'on peut faire dans la salle 7 ?

....

2. Pendant les travaux, où est-ce qu'on peut s'informer sur les affaires culturelles ?

....

3. Pendant les travaux, par quel moyen on peut arriver à l'étage ?

....

pour vous **entraîner**

3 Lire pour vous orienter dans le temps

→ Situations de la vie professionnelle

Observez :
Le thème professionnel concerne différentes réalités que vous pouvez rencontrer. Mais les indications des heures, des jours, des dates sont les plus importantes pour cet exercice.

▽

Activité 8

Lisez le document et répondez aux questions.

Programme médecin du travail : semaine 32

LUNDI	MARDI	MERCREDI	JEUDI	VENDREDI
9 h 00 – 13 h 00 Employés de la gare	9 h 30 – 11 h 30 Réunion d'information - Entreprise Elec'	7 h 00 – 11 h 00 Consultations à l'hôpital	8 h 00 – 10 h 00 Réunion de direction – Médecine du travail	9 h 00 – 11 h 30 Rencontre avec les services de la santé - Mairie
14 h 30 – 18 h 00 Consultations à l'hôpital	13 h 30 – 17 h 00 Visite du supermarché « Miniprix »	15 h 00 – 18 h 00 Consultations au Collège Ronsard + réunion parents	11 h 30 – 15 h 00 Employés du restaurant « La bonne Table »	Après-midi Domicile : Compte rendus, bilans administratifs

1. Dans la semaine 32, dans quels lieux le médecin va travailler ?

A ☐

B ☐

C ☐

D ☐

E ☐

2. Dans la semaine 32, indiquez les jours...

- des réunions ? ....

- du travail à l'hôpital ? ....

3. À quel moment il va travailler à la maison ? ....

4. Dans la semaine 32, le médecin est libre...

❑ le matin avant 7 heures.

❑ à partir de 12 heures.

❑ le soir après 17 heures.

Activité 9

Lisez le document et répondez aux questions.

Horaires de travail

Merci de communiquer à la direction du personnel vos horaires de travail le dernier mercredi du mois.

Vous devez travailler au minimum 8 heures par jour et 5 jours par semaine.

- Vous devez arriver le matin entre 8 h 00 et 8 h 45.
- Vous pouvez prendre une pause café de dix minutes par demi-journée.
- Le déjeuner est possible à partir de 13 h 00 et jusqu'à 14 h 15 maximum. Il ne doit pas durer plus de quarante-cinq minutes.
- Vous pouvez quitter votre poste à partir de 18 heures.

1. À quelle date vous informez votre direction de votre emploi du temps ?

....

....

2. Dans votre travail, vous avez droit à...

❑ 2 pauses.

❑ 3 pauses.

❑ 4 pauses.

3. Vous pouvez commencer votre travail à :

A ❑   B ❑   C ❑

pour vous **entraîner**

Activité 10

Lisez le document et cochez (☒) les bonnes réponses.

Étudiant en troisième année de commerce cherche emploi pour l'été de vendeur ou conseiller en vente dans centre commercial.

Merci de me contacter au 06 45 28 32 07 (Damien) après 18 heures.

Emploi temporaire pour réception d'hôtel.

Saison touristique du 1er mai au 30 sept.

Possible pour étudiant.

Prendre contact Sophie

Réf. 123

A ❑

Propose garde d'enfants de 3 à 8 ans pour personne expérimentée.

Libre lundi, mercredi et samedi toute l'année sauf vacances scolaires.

Prendre contact Pierre

Réf. 210

B ❑

Magasin de vêtements propose emploi temps plein
à partir du 1er juillet pour une durée de sept semaines max. Débutant accepté.

Prendre contact Vanessa

Réf. 304

C ❑

---

1. Le premier document est une demande pour...

❑ un petit boulot.

❑ un stage professionnel.

❑ un premier emploi.

2. Quelle offre correspond à la demande ?

❑ A

❑ B

❑ C

Activité 11

Lisez le document et répondez aux questions.

Docteur Jacques Chaylard   Chartres, le 6 avril 2010
Cabinet médical
3, rue de la cheminée ronde
28 000 Chartres

À l'attention de Mme et M. Bonpied

Nom du patient : Maxime Bonpied, 9 ans

Pour aider votre enfant à prendre ses médicaments, je vous joins une petite boîte pratique. Maxime peut la remplir à partir d'aujourd'hui lundi.

Un comprimé bleu tout de suite et pendant trois jours tous les matins.

Deux comprimés rouges, le soir seulement, jusqu'à jeudi soir.

Un comprimé blanc au déjeuner pendant une semaine.

Merci pour votre aide,

Salutations distinguées,

Dr J. Chaylard

J. Chaylard

1. Le document :

❑ fixe un rendez-vous médical.

❑ propose une aide médicale.

❑ remplace une visite médicale.

2. Ce document est pour une personne malade. Qui ?

❑ Mme Bonpied.

❑ M. Bonpied.

❑ Le fils Bonpied.

3. Voici la petite boîte pratique du Dr Chaylard. Vous aidez la personne malade à la remplir.

Mettez les comprimés dans les bonnes cases. ● ○ ●

	Lundi	Mardi	Mercredi	Jeudi	Vendredi	Samedi	Dimanche
Matin							
Midi							
Soir							

pour vous **entraîner**

4 Lire pour vous informer

→ Situations d'éducation ou de formation

Observez :
Dans cet exercice « Lire pour s'informer », vous pouvez lire des petits articles de presse, des documents d'information de l'école, de l'université ou de formation continue pour les salariés.

▽

Activité 12

Lisez le document et répondez aux questions.

In-FORMATION

Réaliser des projets – se former – améliorer ses compétences – développer ses talents

Vous vous posez des questions
Notre société In-FORMATION vous répond et vous aide.

- Un accueil libre et gratuit
- Ouvert à tous les travailleurs avec ou sans rendez-vous
- Magazines, documentation et tests professionnels
- Un accompagnement vers des organismes spécialisés et de formation

www.in-formation.com

Contact : 11, rue de Preuilly
02 47 37 99 04
contact@in-formation.com

1. Ce document est...

❏ un article de journal.

❏ un mode d'emploi.

❏ une annonce commerciale.

2. Ce document s'adresse...

❏ aux employeurs.

❏ aux étudiants.

❏ aux travailleurs.

3. Dans le document, la société met les personnes en contact avec qui ?

....

Activité 13

Lisez le document et répondez aux questions.

1. Le Centre de Loisirs annonce...

❑ la liste des activités proposées.

❑ la durée des activités proposées.

❑ les heures d'inscription aux activités.

2. Ce document d'information concerne...

quel public ? ....

quelle période ? ....

quelle information ? ....

....

pour vous **entraîner**

3. L'information du Centre de Loisirs vous intéresse. Cochez les documents à apporter.

A ☐   B ☐

C ☐   D ☐

Docteur Marianne GUIRAUD
Médecine générale   25 juillet 2008
Médecine du sport

179, rue des Devès
69500 Lyon
Tél : 04 56 78 89 98

SANS RENDEZ-VOUS   Monsieur Miroslav DUHAR

EN URGENCE
– Rééducation du dos dans son
ensemble
– 15 séances

E ☐

Activité 14

Lisez le document et répondez aux questions.

À tous les étudiantes et étudiants,

La nouvelle bibliothèque de l'université vient d'ouvrir ses portes le 1er mars.

Les nouveaux horaires sont :

tous les jours de 8 heures à 19 heures, sauf les mercredi et vendredi de 8 heures à 21 heures.

le samedi de 9 heures à 15 heures.

le dimanche de 10 heures à 13 heures.

Sur présentation de votre carte d'étudiant, vous pouvez accéder à la salle informatique, aux salles d'études et au premier étage des archives.

Attention, vous êtes étudiant(e) de première, deuxième et troisième année : vous pouvez prendre cinq livres maximum à la maison, pour une durée de trois semaines.

Pour les étudiant(e)s de quatrième et cinquième année, huit livres maximum pour la même durée.

Le Responsable de la bibliothèque universitaire,

C. Cordier

1. Le responsable de la bibliothèque donne quelle première information ?

....

....

2. Vous pouvez aller à la bibliothèque...

❑ le mercredi à 20 heures.

❑ le samedi à 16 heures.

❑ le dimanche à 15 heures.

3. Un étudiant de troisième année peut prendre...

❑ 4 livres.

❑ 6 livres.

❑ 8 livres.

pour vous **entraîner**

4. La bibliothèque propose quels lieux aux étudiants ?

A ❑

B ❑

C ❑

D ❑

E ❑

EXERCICE 1   6 POINTS

Suivre des instructions simples

Vous recevez le message suivant. Pour répondre aux questions, cochez (☒) la bonne réponse ou écrivez l'information demandée.

> Bonjour à tous,
>
> Pour mon anniversaire, je vous invite à passer un samedi exceptionnel : rendez-vous à la plage du cap à 10 heures, le samedi 23.
>
> Apportez votre déjeuner, nous allons pique-niquer sur mon bateau ; moi, je m'occupe des boissons pour tous les invités. L'après-midi, nous pouvons nager ou faire du sport. Le soir, j'organise une grande fête à la maison.
>
> Donnez-moi très vite votre réponse,
>
> À très bientôt,
>
> Philippe

1. Ce message est une invitation pour...   *1 point*

❑ une fête.

❑ un voyage.

❑ un match.

2. Philippe propose de se retrouver à quelle date ?   *1 point*

....

....

3. Pour le repas de midi, vous allez manger...   *1 point*

❑ à la maison.

❑ sur un bateau.

❑ dans un restaurant.

4. Qu'est-ce que Philippe apporte ?   *2 points*

....

....

vers l'épreuve

5. Qu'est-ce que vous allez faire chez Philippe ?   *1 point*

A ☐   B ☐   C ☐

EXERCICE 2   6 POINTS

Lire pour s'orienter dans l'espace

Vous recevez le document suivant. Pour répondre aux questions, cochez (☒) la bonne réponse ou écrivez l'information demandée.

Le 11 novembre, venez fêter la Saint-Martin !

11 heures Place Châteauneuf
Dégustation des produits de la région, vente d'objets traditionnels.

17 heures Rue des Halles
Promenade-découverte.
Départ : rue des Halles – place Pailhou – à droite, rue de la Grosse Tour – à droite, rue du Grand-Marché – arrêt, place Plumereau – Arrivée : place Châteauneuf

18 heures 30 Salle Charlemagne – Place du 14 juillet
« Concert martinien » – chef : Alain Guerber
Entrée 10 euros, 5 euros de 12 à 18 ans, gratuit moins de 12 ans.

1. Le document propose de fêter quoi ?   *1 point*

....

2. À 11 heures, vous pouvez...   *1 point*

☐ chanter en groupe.

☐ fabriquer des objets.

☐ manger des spécialités.

3. Vous voulez faire la promenade. Où est le rendez-vous pour partir ? *1 point*

❑ Place Châteauneuf.

❑ Place du 14 juillet.

❑ Rue des Halles.

4. Vous venez au concert avec votre enfant de 13 ans. Combien coûte sa place ? *1 point*

....

5. Dessinez le chemin de la promenade sur le plan du quartier. *2 points*

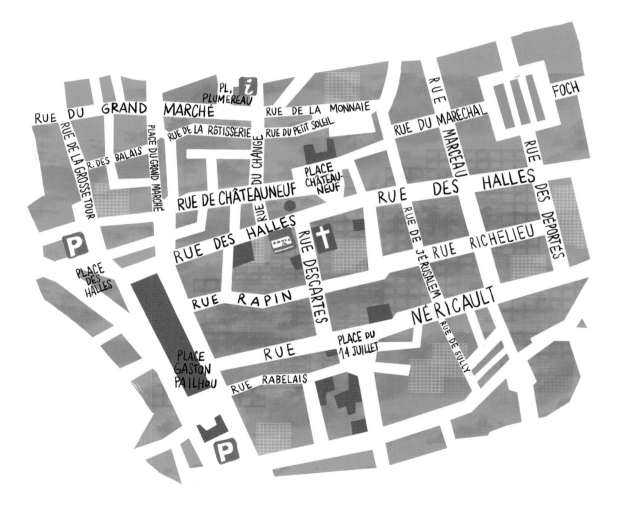

vers **l'épreuve**

EXERCICE 3   6 POINTS

Lire pour s'orienter dans le temps

Vous recevez le message suivant. Pour répondre aux questions, cochez (☒) la bonne réponse ou écrivez l'information demandée.

> Chère collègue, cher collègue,
>
> Notre magasin doit ouvrir exceptionnellement le samedi 23 et le dimanche 24.
> Vous pouvez venir travailler samedi ou dimanche. Merci de donner votre choix au service du personnel (téléphone : 55 46) avant le lundi 11 à midi. Réponse de votre chef le jeudi 14 au matin pour vous communiquer les horaires précis.
> Si vous avez un problème, contactez directement le secrétariat de direction (téléphone : 56 30) le jeudi 14 avant 17 heures.
>
> Merci de votre collaboration,
>
> Cordialement,
>
> Le Directeur

1. Le directeur vous propose de...   *2 points*

❑ changer votre poste de travail.

❑ programmer vos vacances.

❑ travailler en fin de semaine.

2. Le directeur vous demande de répondre avant quelle date ?   *1 point*

....

3. Pour donner votre réponse, vous téléphonez à quel numéro ?   *1 point*

....

4. Le jeudi 14, votre chef doit communiquer quelle information ?   *1 point*

....

....

5. Vous n'êtes pas d'accord avec la proposition de votre chef.

Vous contactez quel bureau ?   *1 point*

....

EXERCICE 4

Lire pour s'informer

Vous lisez l'information suivante. Pour répondre aux questions, cochez (☒) la bonne réponse ou écrivez l'information demandée.

> ### Cours de la Ville 2010/2011
> ### Langues – Informatique – formation professionnelle
>
> Les cours ont lieu le soir entre 18 heures 30 et 21 heures 30 et aussi le samedi matin. Les cours se déroulent dans différentes écoles de la ville.
>
> **Trois formules :**
> • des cours à l'année ;
> • des cours pour six mois ;
> • des sessions de 30 heures.
>
> **Pour s'inscrire, il faut :**
> - avoir son domicile dans la ville ;
> - avoir 18 ans minimum, avec ou sans emploi ;
> - avoir un projet professionnel.

1. Vous voulez vous inscrire aux cours de la ville. Quelle activité vous pouvez choisir ? *1 point*

A ❏   B ❏   C ❏

2. Ce document vous informe sur... *2 points*

❏ les lieux d'inscription.

❏ les tarifs d'inscription.

❏ les modalités d'inscription.

3. Cinq jours par semaine, la ville propose des cours... *2 points*

❏ le matin.

❏ le soir.

❏ la journée.

vers **l'épreuve**

4. On peut commencer les cours de la ville à quel âge ? *1 point*

....

5. Pour suivre les cours de la ville, vous devez avoir quel objectif ? *1 point*

....

....

AUTOÉVALUATION

	OUI	PAS TOUJOURS	PAS ENCORE
Je peux comprendre des messages simples et brefs sur une carte postale, un courrier électronique, une carte d'invitation...			
Je peux reconnaître les mots, les noms et les expressions les plus courants dans les situations ordinaires de la vie quotidienne, par exemple sur une affiche, une annonce, un prospectus...			
Je peux suivre les indications brèves et simples, par exemple pour un itinéraire, un circuit touristique, un panneau d'indication...			
Je peux me faire une idée du contenu d'un texte informatif assez simple comme un court article, un formulaire, une petite annonce...			

PRODUCTION ÉCRITE

Descripteur global

✓ Peut écrire des expressions et phrases simples isolées.

Écriture créative

✓ Peut écrire des phrases et des expressions simples sur lui/elle-même et des personnages imaginaires, où ils vivent et ce qu'ils font.

Interaction écrite générale

✓ Peut demander ou transmettre par écrit des renseignements personnels détaillés.

Correspondance

✓ Peut écrire une carte postale simple et brève.

Notes, messages et formulaires

✓ Peut écrire des chiffres et dates, nom, nationalité, adresse, âge, date de naissance ou d'arrivée dans le pays, etc. sur une fiche d'hôtel, par exemple.

pour vous **aider**

➡ NATURE DE L'ÉPREUVE ET SAVOIR-FAIRE REQUIS

L'épreuve de production écrite constitue la troisième partie de votre examen.

Elle dure 30 minutes.

Cette épreuve évalue votre capacité à écrire des énoncés simples pour se présenter ou présenter une personne, selon l'échelle globale définie dans le Cadre européen (pp. 51-52 et pp. 68-69).

L'épreuve se compose de deux exercices :

- compléter une fiche ou un formulaire ;
- rédiger des phrases simples (cartes postales, messages, courriels, etc.) sur des sujets de la vie quotidienne.

➡ LES SUJETS

Dans l'épreuve de production écrite du DELF, tous les sujets proposés vous mettent en situation d'interaction.

Vous écrivez :

- • pour vous présenter ou présenter une personne,
- • pour informer ou demander une information,
- • pour raconter ou rapporter des détails,
- • pour annoncer ou demander quelque chose,
- • pour proposer, accepter ou refuser une invitation.

Vous avez 30 minutes pour faire les 2 exercices proposés.

Attention, le premier exercice (compléter une fiche, un formulaire) est plus facile que le second exercice. Prenez 10 minutes au maximum pour l'exercice 1, il vous restera alors 20 minutes pour l'exercice 2.

Vous pouvez faire les deux exercices dans l'ordre que vous voulez mais il faut de la méthode.

➡ QUELQUES CONSEILS

Exemples de consigne

Observez les consignes des exercices.

> **Bien comprendre les consignes**
>
> Comprendre l'objectif du formulaire et les informations demandées (réservation d'hôtel, inscription à un club de sport, demande d'information, demande d'abonnement...).

▽

Exercice 1

Vous arrivez en France avec votre ami étranger pour passer deux semaines de vacances. À l'aéroport, il doit donner cette fiche complétée au contrôle des passeports. Vous aidez votre ami à remplir cette fiche.

△

> Vous devez répondre à chaque ligne.
> Le document est toujours destiné à des Français ou à des francophones, il faut donc écrire l'ensemble des informations en français. Les dates, nationalité, ville, profession et sports aussi !

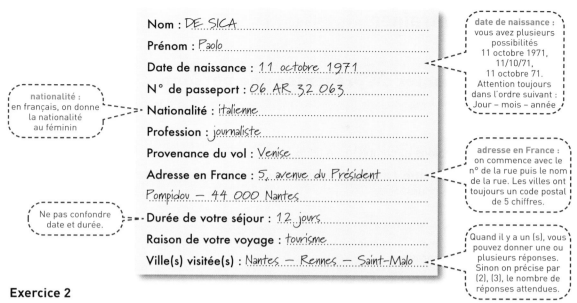

nationalité : en français, on donne la nationalité au féminin

date de naissance : vous avez plusieurs possibilités 11 octobre 1971, 11/10/71, 11 octobre 71. Attention toujours dans l'ordre suivant : Jour – mois – année

adresse en France : on commence avec le n° de la rue puis le nom de la rue. Les villes ont toujours un code postal de 5 chiffres.

Ne pas confondre date et durée.

Quand il y a un (s), vous pouvez donner une ou plusieurs réponses. Sinon on précise par (2), (3), le nombre de réponses attendues.

Nom : DE SICA

Prénom : Paolo

Date de naissance : 11 octobre 1971

N° de passeport : 06 AR 32 063

Nationalité : italienne

Profession : journaliste

Provenance du vol : Venise

Adresse en France : 5, avenue du Président Pompidou – 44 000 Nantes

Durée de votre séjour : 12 jours

Raison de votre voyage : tourisme

Ville(s) visitée(s) : Nantes – Rennes – Saint-Malo

Exercice 2

<u>Vous</u> (1) êtes en vacances <u>en montagne</u> (2) en France. Vous envoyez une <u>carte postale</u> (3) à vos <u>amis français</u> (4).
Vous racontez quelles <u>activités vous pratiquez</u> (5), quel <u>temps il fait</u> (6).
Vous <u>invitez</u> (7) vos amis et <u>indiquez</u> (8) vos coordonnées.
(<u>40 à 50 mots</u>) (9)

△

Bien comprendre les consignes

Bien lire toute la consigne de la situation 2 et se poser les questions suivantes :
qui ?, à qui ?, où ?, quand ?, quoi ?, pour dire quoi ?, comment ?...

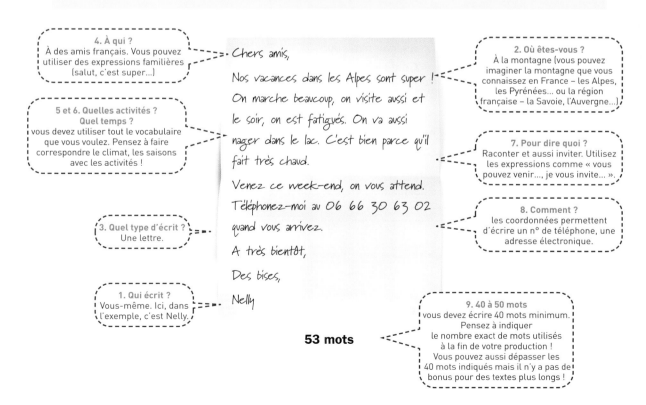

4. À qui ? À des amis français. Vous pouvez utiliser des expressions familières (salut, c'est super...)

5 et 6. Quelles activités ? Quel temps ? vous devez utiliser tout le vocabulaire que vous voulez. Pensez à faire correspondre le climat, les saisons avec les activités !

3. Quel type d'écrit ? Une lettre.

1. Qui écrit ? Vous-même. Ici, dans l'exemple, c'est Nelly.

2. Où êtes-vous ? À la montagne (vous pouvez imaginer la montagne que vous connaissez en France – les Alpes, les Pyrénées... ou la région française – la Savoie, l'Auvergne...)

7. Pour dire quoi ? Raconter et aussi inviter. Utilisez les expressions comme « vous pouvez venir..., je vous invite... ».

8. Comment ? les coordonnées permettent d'écrire un n° de téléphone, une adresse électronique.

9. 40 à 50 mots vous devez écrire 40 mots minimum. Pensez à indiquer le nombre exact de mots utilisés à la fin de votre production ! Vous pouvez aussi dépasser les 40 mots indiqués mais il n'y a pas de bonus pour des textes plus longs !

Chers amis,

Nos vacances dans les Alpes sont super ! On marche beaucoup, on visite aussi et le soir, on est fatigués. On va aussi nager dans le lac. C'est bien parce qu'il fait très chaud.

Venez ce week-end, on vous attend. Téléphonez-moi au 06 66 30 63 02 quand vous arrivez.

A très bientôt,

Des bises,

Nelly

53 mots

pour vous **entraîner**

1 Se présenter ou présenter une personne

Activité 1

Lisez ces informations et complétez la fiche.

Vous recevez cette lettre. La personne veut s'inscrire à votre club de tennis. Vous complétez sa fiche pour réserver ses cours.

Observez :

Vous devez seulement retrouver les informations et copier les mots et expressions sur la bonne ligne. Ne faites pas de phrases !

▽

> Madame, Monsieur,
>
> Je m'appelle Sylvain GOMES, j'ai 29 ans et je suis professeur des écoles. Je voudrais m'inscrire à votre club de tennis. Je pratique le tennis depuis l'âge de 10 ans et j'ai un très bon niveau. Je peux m'entraîner le lundi soir (entre 19 heures et 21 heures) et le mercredi après-midi (entre 14 heures et 16 heures).
>
> Merci de confirmer mon inscription et de réserver mes cours.
>
> Cordiales salutations,
>
> S. Gomes
>
> 06 22 45 36 78

FICHE D'INSCRIPTION

Nom :..

Prénom : ....

Activité professionnelle :..

Âge : ....

Niveau :..

JOURS D'ENTRAÎNEMENT	HORAIRES

Activité 2

Lisez la carte de visite de cette personne et complétez sa fiche de participation au séminaire.

Observez :

Pour le formulaire ou la fiche, vous êtes en situation de communication formelle, les informations doivent être précises et courtes.

▽

Association
Les Amis de Victor Hugo

Madeleine Rubempré
Vice-présidente

mrubempre@victor-hugo.asso.fr
24, rue de Guernesey
F- 35 380 Dinan

tél : 02 96 54 62 89
fax : 02 96 54 65 56
site : www.victorhugo.asso.fr

PARTICIPATION
Séminaire – juin 2010

Nom :...

Prénom : ....

Fonction : ....

Organisme ou école : ....

Courriel : ....

Adresse : ....

....

Ville :..

pour vous **entraîner**

Activité 3

Complétez ce document pour réserver votre séjour à l'hôtel.

Observez :

Attention, les dates doivent respecter la graphie française : le jour – le mois - l'année.

On écrit les dates soit tout en chiffres : *02/08/2008*
soit le mois en lettres : *2 août 2008*

Pour les réponses à rédiger, la liste des éléments du petit-déjeuner est suffisante.

▽

Hôtel de la Boule d'Or
66, quai Jeanne d'Arc
37 500 Chinon

Nom : ....

Prénom : ....

Nationalité : ....

N° de passeport : ....

Date de naissance : ....

Date et heure d'arrivée : ....

Date et heure de départ : ....

Nombre d'adultes : ....

Nombre d'enfants (- 12 ans) : ....

Nombre de chambres : ....

Quel petit-déjeuner souhaitez-vous ? (2 formules différentes maximum)

    1 – ....

    2 – ....

2 Informer ou demander une information

Boîte à outils	
Demander une information	**Donner une information**
Je voudrais connaître le prix/ le nom / l'adresse...	Ici / Maintenant / Demain...
Je voudrais savoir à quelle heure...	C'est...
Quand vous voulez... ?	Il est... / Il a...
Où se trouve... ?	Il fait beau / mauvais
Qu'est-ce que... ?	Je porte (des vêtements)
S'il te plaît / S'il vous plaît	Il y a une pharmacie en face.

Activité 4

Lisez la consigne et rédigez le message.

Vous avez gagné un séjour de quatre semaines en France. Vous allez habiter dans une famille française. Vous envoyez à la famille française un petit message électronique pour vous présenter (identité, durée de votre séjour).

Observez :

N'oubliez pas : on se présente ou on informe une personne pour une raison précise !
On rappelle toujours pourquoi on écrit le message (projet, recherche, rendez-vous...).

Supprimer	Indésirable	Répondre	Rép. à tous	Réexpédier	Imprimer

De :
Date :
À :
Objet :

Bonjour,

pour vous **entraîner**

Activité 5

Lisez la consigne et rédigez le message.

> **Observez :**
>
> Pour le texte à écrire, la forme est, en général, amicale.
> Vous écrivez à des amis ou des personnes que vous connaissez. Les salutations et les prises de congé sont en français familier ou courant, la signature peut être bien sûr le prénom de l'expéditeur.

Sur le site www.copainsdavant.com, vous retrouvez un ami d'enfance vingt ans après !

Vous proposez à cet ami de dîner dans un restaurant de votre ville.

Rédigez un courriel où vous précisez le lieu, le jour et l'heure du rendez-vous.

Vous faites votre description physique et les vêtements que vous allez porter le jour du rendez-vous. (40 à 50 mots).

Activité 6

Lisez la consigne et rédigez le message.

Vous habitez un nouvel appartement en France. Vous écrivez cette information à des amis français et vous les invitez à venir chez vous à la date de leur choix.
Décrivez votre appartement. Demandez à vos amis de vous donner des précisions sur leur visite (dates, durée du séjour, avec qui, programme touristique...).
(40 à 50 mots)

Pour l'épreuve, attention au nombre de mots !
Comptez le nombre de mots selon cette règle :

Un mot est l'ensemble de signes placé entre deux espaces.
« C'est » = 1 mot » ;
« 06 66 30 63 02 » = 1 mot » ;
« Téléphonez-moi » = 1 mot ;
« les Alpes » = 2 mots ;
« C'est bien » = 2 mots ;
« Venez ce week-end » = 3 mots ;
« C'est bien parce qu'il fait très chaud » = 7 mots.

N'oubliez de soigner votre écriture : l'épreuve évalue aussi votre capacité à interagir à l'écrit.
Un Français ou un francophone doit donc réussir à lire les mots et les phrases sans difficulté.

pour vous **entraîner**

3 Raconter et rapporter des détails

Boîte à outils	
Raconter quelque chose	**Rapporter des détails**
Pensez à utiliser les **connecteurs** : et, ou, mais, alors, voilà... Le lundi, je fais... Le soir, je ne sors pas. Après les vacances... D'abord..., ensuite..., après..., enfin...	Pour préciser la description de personnes, d'objets ou de lieux, on utilise les **adjectifs** de couleurs, de quantité, de taille, etc. Par exemple... Exactement / c'est-à-dire...

Activité 7

Lisez la consigne et rédigez le message.

Votre première semaine de vacances en France.

Vous écrivez dans votre agenda personnel. Racontez ce que vous allez faire jour après jour. (une phrase par jour)

Activité 8

Lisez la consigne et complétez le texte.

Vous retrouvez le petit message de votre ami sur la table du jardin. Mais il pleut et des mots ont disparu. Écrivez les mots manquants : *et, ou, mais, alors.*

Merci de ton accueil ●:●● de ton dîner extraordinaire !

Tu dors encore ce matin ●●●● j'ai un rendez-vous très tôt.

●●●● tu me téléphones ●●:●● tu envoies un message quand tu te réveilles !

Je t'embrasse,

Hocine

pour vous **entraîner**

Activité 9

Lisez la consigne et rédigez les messages.

En été, on envoie des cartes postales pour raconter ses vacances.
Regardez les images et racontez un détail de ces vacances.

1.

2.

3.

4.

4 Annoncer ou demander quelque chose

Boîte à outils	
Demander quelque chose à quelqu'un	**Annoncer quelque chose**
Est-ce que tu peux… ?	Je t'annonce…/ Je vous annonce…
Tu pourrais… ?	J'ai la joie de vous annoncer…
Vous devez… / Il faut…	J'ai le plaisir de vous informer que…
Si tu veux/ si tu peux,…	Ça y est ! J'ai mon diplôme.
Si tu as le temps, pense à sortir le chien.	C'est bon / Ça marche !

Activité 10

Lisez la consigne et rédigez le texte.

Vous allez déménager le mois prochain. Vous affichez un petit mot dans l'immeuble. Vous informez les voisins que vous allez faire une fête d'adieu dans votre appartement avec des amis.

Rédigez l'annonce.

1 – raison

2 – information

3 – lieu

4 – date

5 – heure

6 – excuses

1.

2.

3.

4.

5.

6.

pour vous **entraîner**

Activité 11

Regardez les images. Vous envoyez une invitation à vos amis pour chaque événement. Rédigez les cartes d'invitation.

Observez :

Pour annoncer un événement, vous exprimez votre sentiment (*j'ai la joie de… / j'ai le plaisir de… / j'ai le bonheur de vous annoncer…*).

Pour inviter, pensez à donner la date, l'heure, le lieu de l'invitation et la demande de réponse.

À la fin, rappelez vos coordonnées (adresse, courriel, téléphone…) pour recevoir la confirmation ou non de la venue des invités.

Activité 12

Lisez la consigne et rédigez le texte.

Vous êtes en voyage d'affaires et vous devez rester encore une semaine. Vous envoyez un message électronique à votre voisin. Vous annoncez le changement de votre date de retour.

Vous lui demandez de vous rendre trois services.

À l'aide de ces images, rédigez le message.

(40 à 50 mots)

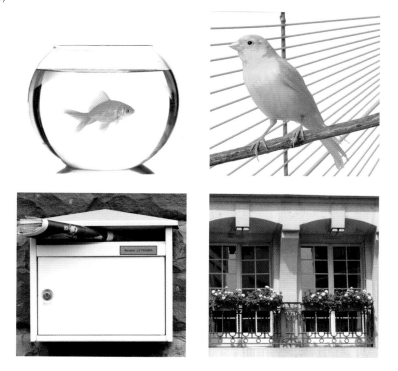

pour vous **entraîner**

5 Proposer, accepter ou refuser une invitation

Boîte à outils		
Proposer quelque chose	**Accepter une invitation**	**Refuser une invitation**
Je vous propose de faire...	Bien sûr ! / Évidemment !	Malheureusement ! / Dommage, mais... !
C'est possible de sortir...	Avec plaisir !	
Je t'invite à mon anniversaire.	J'accepte volontiers.	Je regrette ...mais ce n'est pas possible...
J'attends ta réponse.	Nous sommes heureux de venir à ta fête.	

Activité 13

Lisez la consigne et rédigez les messages.

Vous recevez cette invitation.

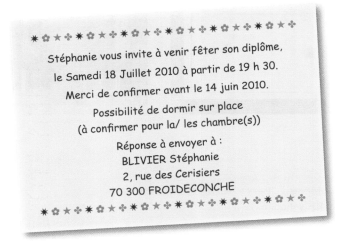

Stéphanie vous invite à venir fêter son diplôme,
le Samedi 18 Juillet 2010 à partir de 19 h 30.
Merci de confirmer avant le 14 juin 2010.
Possibilité de dormir sur place
(à confirmer pour la/ les chambre(s))
Réponse à envoyer à :
BLIVIER Stéphanie
2, rue des Cerisiers
70 300 FROIDECONCHE

1. Vous acceptez.

2. Vous refusez. Vous expliquez pourquoi.

Bonjour Stéphanie,
Merci pour ton invitation. Félicitations !

Bonjour Stéphanie,
Merci pour ton invitation. Félicitations !

Activité 14

Lisez la consigne et rédigez le message.

Un ami vous envoie ce prospectus. Il vous invite à venir avec lui. Répondez et expliquez pourquoi vous acceptez ou vous refusez.

Activité 15

Lisez la consigne et rédigez le message.

Dorothée a 30 ans le mois prochain. Vous voulez faire une surprise. Vous contactez les amis de Dorothée pour organiser la fête. Rédigez le courriel pour :
- proposer votre idée ;
- faire/demander des propositions de surprise ;
- organiser l'achat de cadeaux ;
- etc.
(40 à 50 mots)

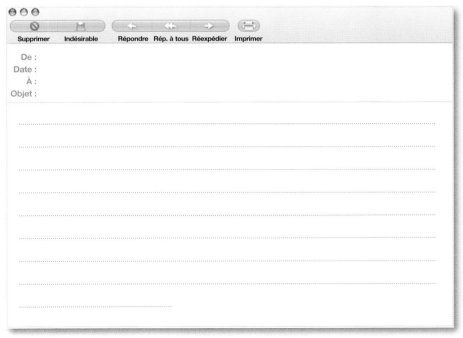

vers **l'épreuve**

EXERCICE 1 10 POINTS

Rédiger une fiche ou un formulaire

Vous recevez ce document. Vous voulez participer à la rencontre internationale.
Vous remplissez votre fiche d'inscription.

Vous êtes de nationalité étrangère, vous voulez parler français et
rencontrer de nouveaux amis français et étrangers.

**Rendez-vous mercredi prochain à 18 heures
Café de l'Univers, 9 place de la Liberté**

- -

Pour mieux vous connaître

Prénom :	*1 point*
Nationalité :	*1 point*
Date d'arrivée en France :	*1 point*
Situation de famille :	*1 point*
Langue d'origine :	*1 point*
Niveau de français :	*1 point*
2 loisirs préférés : ..../.................	*2 points*
Sport pratiqué :	*1 point*
Études ou profession :	*1 point*

Fiche d'inscription à remettre à l'entrée

Rédiger un message simple

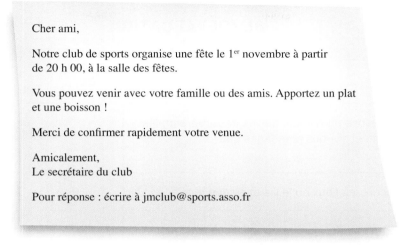

Cher ami,

Notre club de sports organise une fête le 1er novembre à partir de 20 h 00, à la salle des fêtes.

Vous pouvez venir avec votre famille ou des amis. Apportez un plat et une boisson !

Merci de confirmer rapidement votre venue.

Amicalement,
Le secrétaire du club

Pour réponse : écrire à jmclub@sports.asso.fr

Vous répondez au secrétaire du club. Vous le remerciez et vous dites avec qui et à quelle heure vous allez venir. Vous précisez quel plat et quelle boisson vous allez apporter. (40 à 50 mots).

AUTOÉVALUATION

	OUI	PAS TOUJOURS	PAS ENCORE
Je peux écrire des phrases et des expressions simples sur moi-même et sur des personnes que je connais.			
Je peux décrire les lieux où je vis et ce que je fais.			
Je peux remplir un formulaire ou une fiche avec mon prénom, ma nationalité, mon âge, mon adresse.			
Je peux écrire une liste de choses à faire, à acheter.			
Je peux faire une liste de choses que j'aime ou que je choisis.			
Je peux demander ou transmettre une information personnelle très simple.			
Je peux écrire une carte postale et un message simples.			
Je peux raconter les activités que je fais dans une journée ou pendant une semaine.			
Je peux annoncer un événement personnel.			
Je peux proposer, accepter ou refuser une invitation et expliquer pourquoi.			

PRODUCTION ORALE

Descripteur global

✓ Peut produire des expressions simples isolées sur les gens et les choses.

✓ Peut se décrire, décrire ce qu'il fait, ainsi que son lieu d'habitation.

Interaction orale générale

✓ Peut interagir de façon simple, mais la communication dépend totalement de la répétition avec un débit plus lent, de la reformulation et des corrections.

✓ Peut répondre à des questions simples et en poser, si elles sont posées très lentement et clairement.

✓ Peut présenter quelqu'un.

✓ Peut utiliser des expressions simples de salutation et de congé.

✓ Peut demander à quelqu'un de ses nouvelles et y réagir.

✓ Peut demander des objets à quelqu'un et lui en donner.

✓ Peut se débrouiller avec les nombres, les quantités, l'argent, l'heure.

✓ Peut parler du temps avec des expressions simples telles que « la semaine prochaine », « vendredi dernier », « en novembre », « à 3 heures »...

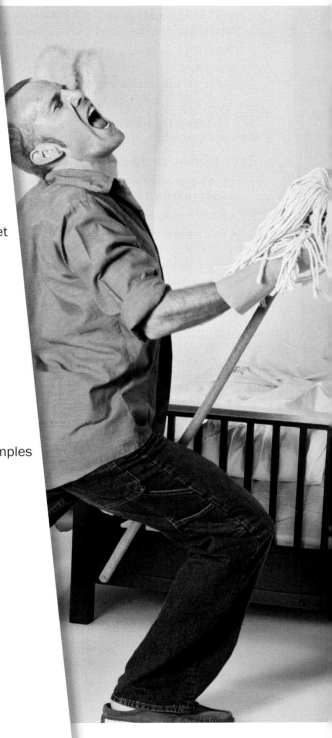

pour vous **aider**

➡ NATURE DE L'ÉPREUVE ET SAVOIR-FAIRE REQUIS

L'épreuve se déroule en trois parties :

> PARTIE 1 : **un entretien dirigé**
> Vous répondez aux questions de l'examinateur sur vous, votre famille, vos goûts ou vos activités.

> PARTIE 2 : **un échange d'informations**
> Vous posez des questions à l'examinateur à l'aide des mots écrits sur les cartes.

> PARTIE 3 : **un dialogue simulé** (ou jeu de rôle)
> Vous jouez la situation décrite sur le sujet. Vous vous informez sur le prix des produits que vous voulez acheter ou commander.

L'épreuve dure de 5 à 7 minutes.
Vous disposez de 10 minutes de préparation pour les parties 2 et 3 (Échange d'informations et dialogue simulé).

Pour l'épreuve de production orale, vous devez savoir :

- vous présenter, présenter quelqu'un, parler de vous, de votre famille et de l'endroit où vous vivez **(partie 1)**.
- poser des questions à l'examinateur à partir de mots clés **(partie 2)**.
- agir dans une situation de la vie quotidienne dans le but d'obtenir des biens ou des services : acheter quelque chose, demander des informations simples, commander un repas, réserver une chambre d'hôtel, des places pour un spectacle, des billets pour un voyage, choisir quelque chose **(partie 3)**.

➡ QUELQUES CONSEILS

Avant le début de l'épreuve, n'oubliez pas :
- de **saluer l'examinateur** (ne dites pas « salut ! » mais « bonjour madame / monsieur »)
- de vous présenter en **donnant votre nom et votre prénom** (on ne dit pas « moi c'est »… mais « je m'appelle »…)
- de tirer au sort 2 situations et **d'en choisir une.**

Pendant les 10 minutes de préparation, lisez attentivement les documents à votre disposition :
- un document candidat :
  - explique le déroulement de l'épreuve.
  - indique la durée approximative des 3 parties de l'épreuve et le temps de préparation qui vous est accordé.
  - présente les consignes des différentes parties et ce que l'examinateur attend de vous.
- 6 petits papiers sur lesquels figurent les mots clés.
- des pièces de monnaies, des billets fictifs et d'autres modes de paiement (carte bancaire et chèque)

Pendant l'épreuve, vous pouvez regarder vos notes prises lors de votre préparation mais essayez de parler en regardant aussi l'examinateur car il s'agit dans tous les cas d'une conversation.
N'hésitez pas à demander à l'examinateur de répéter ou de parler plus lentement si vous ne comprenez pas bien. Il peut aussi vous expliquer en français un mot si vous ne le connaissez pas.

À la fin de l'épreuve, n'oubliez pas de saluer l'examinateur avant de quitter la salle !

➡ **LES SUJETS**

Partie 1 : L'entretien dirigé *(1 minute environ)*

L'examinateur va évaluer votre capacité à vous présenter, à parler de vous et de votre environnement proche. Il va donc vous poser quelques questions sur...

VOUS
Vous vous appelez comment ?
Votre nom, comment ça s'écrit ?
Quelle est votre profession ?
Parlez-moi de votre appartement /
de votre maison

VOTRE FAMILLE
Vous êtes mariés ? Vous avez des enfants ?
Vous avez des frères et sœurs ?
Quel âge ont-ils ? Ils habitent où ?
Qu'est-ce qu'ils font ?

Partie 2 : L'échange d'informations *(2 minutes environ)*

L'examinateur évalue votre capacité à poser des questions personnelles simples sur des sujets familiers en vérifiant que vous comprenez bien ses réponses.

Vous devez poser des questions à l'examinateur à partir de mots-clés inscrits sur de petites cartes. Vous ne devez pas réutiliser uniquement le mot mais surtout l'idée.

ÂGE	MUSIQUE	ANIMAUX

Voici les questions que vous pouvez poser :

Quel est votre âge ?
Vous avez quel âge ?

Vous aimez la musique ?
Quel genre de musique vous aimez ?
Vous jouez d'un instrument ?

Vous aimez les animaux ?
Vous avez des animaux ?
Quel est votre animal préféré ?

Partie 3 : Le dialogue simulé *(2 minutes environ)*

L'examinateur évalue ici votre capacité à :
- établir un contact social de base en utilisant les formes de politesse les plus élémentaires,
- demander ou donner quelque chose à quelqu'un,
- comprendre ou donner des instructions simples sur des sujets concrets de la vie quotidienne.

À partir d'une situation proposée par l'examinateur, vous devez simuler une scène de la vie quotidienne en France. Il y a deux acteurs : vous et l'examinateur.

Pour chaque sujet il y a :
- **la description de la situation** (lieu, votre rôle et celui de l'examinateur) ;
- **5 à 6 images** pour illustrer la situation. Ces images sont là pour vous aider mais vous n'êtes pas obligé de toutes les exploiter, vous pouvez même parler de choses qui ne figurent pas sur les images si cela est en rapport avec la situation à jouer ;
- **des euros en pièces et billets factices.**

Qu'est-ce que vous devez faire ?
- acheter des articles, des produits,
- demander des informations, des biens, des services,
- réserver des places, des billets pour un spectacle, un concert, une pièce de théâtre, un voyage,
- commander un menu, des boissons.

Exemple de sujet :

> **Au kiosque à journaux**
> Vous êtes en vacances en Bretagne et vous voulez acheter quelques revues et magazines. Vous demandez conseils au vendeur pour vous aider à choisir. Vous choisissez et vous payez.
> *[L'examinateur joue le rôle du vendeur de journaux.]*

pour vous **entraîner**

1 L'entretien dirigé

→ Se présenter

Activité 1

Complétez ce petit texte de présentation.

Bonjour, je m'appelle (votre **prénom** suivi de votre **nom**) ...., je suis (votre **nationalité**) .... Je viens de (votre **ville d'origine**) .... J'ai (votre **âge**) .... et je suis (votre **profession**, votre **statut**) ....

Je suis (votre **état civil**) .... J'étudie le français à/au (le nom de l'école de langue) .... et je souhaite passer le DELF A1 parce que (Exemple : j'ai besoin d'un diplôme en langue française pour mon travail.) ....
....

> **Si vous ne travaillez pas, vous pouvez dire :**
> Je n'ai pas travail. Je ne travaille pas. Je suis **sans emploi**. Je suis **au chômage**.
> Je suis **à la recherche d**'un emploi.
> Je suis **femme au foyer**.
> Je suis étudiant(e).
>
> **Pour parler de votre état civil, de votre famille :**
> Je suis **marié(e), divorcé(e), célibataire, fiancé(e)**.
> Je n'ai **pas d'enfants**. J'ai deux **enfants : une fille et un garçon**.
> Je n'ai **pas de frère et sœur**, je suis **fils unique / fille unique**.
>
> **Pour parler de votre logement :**
> J'habite dans **une maison**. Il y a cinq pièces : la chambre, la cuisine, la salle de bains, le salon et la salle à manger.
> Je vis dans **un appartement**. C'est un type 3, il y a 2 chambres et un grand salon.
> Je suis dans **une résidence universitaire**, dans **une résidence pour étudiants**, dans **un hôtel**, dans **une chambre d'étudiant**, dans **une auberge de jeunesse**...

→ **Parler de ses habitudes**

Activité 2

Écrivez une histoire à l'aide de ces différentes activités d'une journée. Il n'y a pas un ordre précis mais il faut que votre histoire reste cohérente !

1. Je dîne vers 20 h 30.

    2. Je me lève le matin à 6 h 30.

        3. J'arrive au bureau vers 8 h 30.

            4. Je prends mon petit déjeuner.

                5. Je déjeune avec des collègues.

            6. Je prends une douche dès mon réveil.

        7. Je me couche vers 22 h 30, après le film.

      8. Je regarde la télévision avant d'aller dormir.

9. Je prends le bus à 7 h 30 pour aller travailler.

Activité 3

Décrivez la journée de cette personne.

pour vous **entraîner**

→ **Parler de ses loisirs**

+ + J'adore, j'aime bien, j'aime, je suis passionné(e) de…
- - Je n'aime pas, je déteste, je n'aime pas du tout, je ne supporte pas.

Activité 4

Associez chaque phrase à l'image correspondante.

A ●

● 1. Je pratique régulièrement du tennis.

B ●

● 2. Je fais de la danse deux fois par semaine.

C ●

● 3. Je déteste le football.

D ●

● 4. Je ne supporte pas la musique techno.

E ●

● 5. Je jardine de temps en temps.

F ●

● 6. Je bricole dans mon garage.

G ●

● 7. Je regarde des films à la télévision.

H ●

● 8. J'adore aller au cinéma.

Activité 5

Voici un exemple d'entretien dirigé entre un candidat et une examinatrice. Écoutez.

CANDIDAT. Bonjour madame.

EXAMINATRICE. Bonjour monsieur. Comment vous appelez-vous ?

CANDIDAT. Je m'appelle Gianluca SILVIANI.

EXAMINATRICE. Comment s'écrit votre prénom? Vous pouvez épeler votre prénom s'il vous plaît ?

CANDIDAT. Oui, G.I.A.N.L.U.C.A.

EXAMINATRICE. D'accord. Merci. Et vous êtes de quelle nationalité ?

CANDIDAT. Italienne. Je suis italien. J'habite à Rome.

EXAMINATRICE. Vous travaillez ?

CANDIDAT. Oui, je dirige une petite entreprise de vêtements pour femmes.

EXAMINATRICE. C'est intéressant ! Et vous avez quel âge ?

CANDIDAT. 34. J'ai 34 ans.

EXAMINATRICE. Vous êtes marié ?

CANDIDAT. Oui, et j'ai deux enfants. Une fille, elle s'appelle Elsa, elle a 2 ans et un garçon, Marco qui a 10 mois.

EXAMINATRICE. Qu'est-ce que vous faites le week-end ? Vous pratiquez un sport ?

CANDIDAT. Je joue au foot une fois par semaine quand j'ai le temps mais avec deux enfants, je reste en famille. Quelquefois, avec ma femme, nous invitons des amis à venir dîner chez nous.

EXAMINATRICE. Vous vivez dans un appartement ?

CANDIDAT. Non, dans une maison et nous avons un beau jardin ! Quand il fait beau, nous organisons des barbecues avec nos amis. C'est très agréable !

EXAMINATRICE. Et bien je vous remercie. Maintenant, nous allons passer à la deuxième partie de l'épreuve. Cette fois-ci, c'est vous qui allez me poser des questions à partir de ces petites cartes et je vais vous répondre !

Dans cette partie de l'épreuve, vous devez poser des questions à partir de mots-clés comme dans l'exemple qui suit :

POISSON	**MÉTIER**	**VACANCES**
Vous aimez le poisson ? *Est-ce que vous aimer aller à la pêche ?* *Vous avez des poissons rouges chez vous ?*	*Quel est votre métier ?* *Vous avez un métier ?* *Vous travaillez ?* *Quel est le plus beau métier du monde pour vous ?* *Est-ce que vous aimez votre métier ?*	*Vous partez en vacances bientôt ?* *Vous aimez passer vos vacances où ?* *Vous préférez les vacances à la mer ou à la campagne ?* *Vous avez combien de jours de vacances par an ?*

pour vous **entraîner**

2 L'échange d'informations

Activité 6

À partir de quel mot peut-on poser ces questions ?
Reliez chaque question (colonne A) au mot-clé correspondant (colonne B).

COLONNE A	COLONNE B

COLONNE A

1. Vous prenez le bus pour aller au travail ? ●

2. Vous êtes né quand ? ●

3. Comment est-ce que vous vous appelez ? ●

4. Vous avez des enfants ? ●

5. Quelle heure est-il ? ●

6. Vous aimez l'hiver ? ●

COLONNE B

● Date de naissance

● Montre

● Transports

● Prénom

● Garçon

● Saison

À vous maintenant ! Essayez de poser plusieurs questions sur chacun des mots suivants :

Enfants ?	École ?	Couleur ?	Sport ?
....	....	....	....
Petit-déjeuner ?	**Voyages ?**	**Livre ?**	**Politique ?**
....	....	....	....
Appartement ?	**Mariage ?**	**Tradition ?**	**Culture ?**
....	....	....	....

3 Le dialogue simulé

Pendant cette dernière partie de l'épreuve de production orale, vous allez jouer le rôle d'une personne qui se trouve en France, demande des informations et achète des produits.

Vous vous trouvez donc dans une situation de la vie quotidienne et l'examinateur est votre interlocuteur.

→ Achats de produits alimentaires

Activité 7

SITUATION 1 – AU MARCHÉ
Vous êtes à Bordeaux et vous faites quelques courses sur le marché. Vous vous informez sur les prix, précisez les quantités souhaitées et vous payez.
[L'examinateur joue le rôle du vendeur]

À partir de ce document, voici le dialogue qu'on peut faire :

EXAMINATEUR. - Bonjour madame ! Qu'est-ce que je vous sers ?
CANDIDAT. - Je voudrais des pommes de terre s'il vous plaît. Quel est le prix du kilo ?
E. - 1,70 € madame.
C. - Alors, 3 kilos s'il vous plaît.
E. - Oui, avec ceci ? vous désirez autre chose ?
C. - Oui, je vais prendre quelques poires.
E. - Bien sûr ! Elles sont délicieuses ! 2,5 € le kilo ce n'est pas cher !
C. - Mettez-moi 1 kilo s'il vous plaît. Et pour finir vous me donnerez une salade et 2 kilos d'oranges.
E. - Ce sera tout ?
C. - Oui, combien je vous dois ?
E. - 10,20 € s'il vous plaît.
C. - Les voilà.
E. - Merci ! Au revoir madame, à bientôt !
C. - Bonne journée !

pour vous **entraîner**

→ Achats d'articles vestimentaires

Activité 8

SITUATION 1 – DANS UNE BOUTIQUE DE VÊTEMENTS

Vous êtes à Dijon et vous êtes invité(e) à un mariage. Vous dites au vendeur ce que vous recherchez comme vêtement, vous vous informez sur les prix, vous choisissez et vous payez.

[L'examinateur joue le rôle du vendeur]

Complétez ce dialogue en vous aidant des images ci-dessus.

- Bonjour monsieur, vous cherchez un vêtement en particulier ?
- Bonjour madame, en effet, j'aurais besoin ....
- Oui, de quelle couleur ?
- ....
- Et quelle est votre taille ?
- Je fais du ....
- Voilà, vous voulez l'essayer ?
- Oui, merci mais j'aurais aussi besoin d(e) .... pour porter avec.
- Nous avons ce modèle.
- Parfait ! .... ?
- 150 euros monsieur. Vous réglez comment ? En espèce ou par carte bancaire?
- Je préfère vous faire un chèque.
- Merci monsieur. Bonne journée.
- ....

Maintenant, imaginez le même dialogue mais c'est une femme qui achète les vêtements.

- Bonjour madame, je peux vous aider ?
- Oui, merci, je ....
- ....
- ....
- ....
- ....
- ....
- ....

→ Demande d'informations et achats de produits dans une pharmacie

Activité 9

Reliez d'un trait les expressions aux images correspondantes.

    A ●

● 1. J'ai une migraine terrible !

    B ●

● 2. Je tousse beaucoup,
vous avez du sirop s'il vous plaît ?

    C ●

● 3. Je suis enrhumée, j'ai le nez bouché.

    D ●

● 4. Je crois que j'ai de la fièvre, je vais
prendre de l'aspirine.

    E ●

● 5. J'ai des crampes d'estomac
et j'ai envie de vomir.

    F ●

● 6. Je me suis tordu la cheville,
je dois mettre cette crème tous les jours !

    G ●

● 7. Avec mes nouvelles chaussures,
j'ai des ampoules aux pieds !
Vous avez des pansements ?

pour vous **entraîner**

→ Achats de biens et de services à la Poste

Activité 10

Complétez ce dialogue à l'aide des mots suivants :

timbres – **enveloppes** – **envoi**

tarif – **colis**

Tarif timbres
National : 58 cts
Europe : 75 cts
International : 85 cts

- Bonjour monsieur, j'aimerais envoyer cette .... au Japon. Quel est le .... ?
- Vous souhaitez un .... simple ou prioritaire ?
- Simple.
- 2 €.
- D'accord. J'ai aussi ce .... à envoyer.
- Au Japon ?
- Non, non en France.
- Ça fait 5 €, ce n'est pas très lourd. Ce sera tout ?
- Non, j'ai aussi besoin de 2 .... à 60 centimes.
- Alors au total, ça vous fait 8,20 € s'il vous plaît.
- Voilà.
- Merci, au revoir monsieur.
- Au revoir.

→ Demander des informations – réserver une chambre d'hôtel

Activité 11

Remettez ce dialogue dans l'ordre.

- À tout à l'heure !
- Avec douche et toilettes bien sûr.
- Bonjour madame. Je voudrais réserver une chambre s'il vous plaît.
- C'est bon, nous avons de la place. Vous voulez une chambre avec salle de bain ?
- Dès ce soir et jusqu'au 13 août, si c'est possible.
- Je réserve à quel nom ?
- Merci madame, nous revenons avec nos bagages !
- Oui, une chambre simple ou double ?
- Potiron Jean.
- Pour 2 personnes.
- Pour quelle période ?
- Voilà, votre chambre est réservée pour ce soir et jusqu'au 13 août.

→ **Passer la commande d'un repas**

Menu à la carte

LES ENTRÉES
Soupe du jour...3,25 €
Salade mixte ....3,25 €
Escargots gratinés...4,75 €
Calamars frits, sauce maison et frites......6,95 €

LES SALADES
Salade jardinière...6,95 €
Salade de chèvre chaud.................................7,95 €
Salade d'épinards, œufs & champignons ....6,95 €

LES PLATS PRINCIPAUX
Confit de canard aux petits fruits ....12,95 €
Steak-frites..13,95 €
Croque-monsieur ....7,95 €
Bavette à l'échalote.....................................14.95 €

LES DESSERTS
Crème caramel ....3,50 €
Crème brûlée au cappuccino....................3,75 €
Dessert du jour..3,25 €
Mousse au chocolat ....4,00 €
Sorbet..3,25 €

Activité 12

Complétez ce dialogue en vous aidant de la carte du restaurant.

- Bonjour monsieur, vous avez choisi ?

- Oui, ...

- Vous ne prenez pas d'entrée ?

- ....

- D'accord, avec ceci ? Je vous conseille notre confit de canard aux petits fruits.

- Non merci, ...

- C'est aussi un bon choix ! Et vous souhaitez un dessert ?

- Oui, ...

- Ah, je suis désolé, mais nous n'en avons plus.

- Alors, ...

- Que souhaitez-vous boire ?

- ....

- Très bien, monsieur. Bon appétit !

- Merci.

vers **l'épreuve**

1. ÉCHANGE D'INFORMATIONS avec préparation - **2 MINUTES ENVIRON**

Posez des questions à l'examinateur à l'aide des mots écrits sur la carte.

Couleur ?	**Restaurant ?**
Sport ?	**Nationalité ?**
Animal ?	**Cinéma ?**

2. DIALOGUE SIMULÉ OU JEU DE RÔLE avec préparation - **2 MINUTES ENVIRON**

Jouez la situation décrite sur le sujet.

Le genre masculin est utilisé pour alléger le texte.
Vous pouvez naturellement adapter la situation en adoptant le genre féminin.

Dans un magasin de souvenirs
Vous êtes en vacances en Bretagne et vous achetez des cadeaux pour vos amis. Vous vous renseignez sur les articles. Vous choisissez et vous payez.
L'examinateur joue le rôle du vendeur.

À l'office du tourisme

Vous êtes à l'office du tourisme de Tours. Vous vous informez sur les activités culturelles proposées par la ville.

L'examinateur joue le rôle de l'employé de l'office du tourisme.

VISITE DES CHATEAUX DE LA LOIRE

FESTIVAL INTERNATIONAL DU CIRQUE

FESTIVAL DE MUSIQUE

MUSEUM D'HISTOIRE NATURELLE

AUTOÉVALUATION

	OUI	PAS TOUJOURS	PAS ENCORE
Je peux me présenter, parler de moi, de mes activités.			
Je peux parler de mes habitudes.			
Je peux parler de mes loisirs.			
Je peux utiliser les formules de politesse de base.			
Je peux répondre et poser des questions simples sur des sujets familiers (ma famille, mes amis, mes collègues, mon travail...)			
Je peux demander ou donner des informations simples, des renseignements.			
Je peux acheter des produits lors de situations de la vie quotidienne, indiquer la quantité désirée.			
Je peux demander des biens et des services comme réserver une chambre d'hôtel, commander un repas...			

La **France,**
c'est...

La table

LES REPAS DE LA SEMAINE

En France, on prend trois repas par jour.

Le matin, entre 6 heures et 8 heures, le petit déjeuner est très rapide, toujours sucré et on ne mange pas beaucoup. Au menu : café, chocolat ou lait chaud, jus de fruits, pain avec du beurre et de la confiture, bol de céréales.

On prend souvent le déjeuner à l'extérieur : un plat, un dessert et un petit café.

À 17 heures, c'est le goûter des enfants : des biscuits ou un morceau de pain avec du beurre et du chocolat.

Le soir à la maison, le dîner est plus complet : entrée, plat, dessert.

L'organisation des repas est un peu différente à la fin de la semaine (le week-end) : on se lève plus tard et on prend le temps de manger. Le dîner du samedi soir et le déjeuner du dimanche midi sont des repas de famille ou entre amis. Attention, les invités doivent arriver en retard. Par exemple, l'invitation est prévue à 20 heures alors les invités arrivent entre 20 h 15 et 20 h 30 !

On commence par l'apéritif (vin, boisson alcoolisée, jus de fruits, petits plats salés) et après, on passe à table pour manger une entrée, un plat, une salade, du fromage et un dessert.

Le dimanche matin, on va à la boulangerie pour acheter des croissants !

À partir de 13 heures, on prend un repas assez copieux en famille qui dure longtemps, parfois jusqu'à 16 heures !

ON ACHÈTE OÙ ?

Aujourd'hui, les Français dépensent moins d'argent pour manger.

On achète en général dans les supermarchés, après on prépare et on mange à la maison.

On peut aussi aller au marché. Des marchands spécialisés vendent à l'extérieur des légumes, des fruits, de la viande, du poisson, des produits laitiers.

ON MANGE OÙ ?

En général, on mange à la maison : le matin et le soir. Aujourd'hui, 90 % des enfants mangent à la cantine de l'école. Les adultes peuvent manger dans leur restaurant d'entreprise, à l'extérieur dans un café, dans une cafétéria. On se promène dans la rue avec un sandwich à la main. On ne prend pas beaucoup de temps : de 20 mn à 45 mn ! Au menu : sandwich, croque-monsieur ou une salade. Le week-end, on va au restaurant !

Les soins

JE SUIS MALADE ET JE ME SOIGNE

80 % des Français déclarent aller chez le pharmacien sans aller chez le médecin avant. La pharmacie est le seul endroit où on peut acheter des médicaments.

Le pharmacien donne des conseils, aide la personne à se soigner et vend des médicaments sans ordonnance. Mais pour des maladies ou des blessures plus graves, il préfère connaître l'avis d'un médecin.

La nuit et le week-end, il y a toujours une « pharmacie de garde » ouverte pour les urgences. Pour connaître l'adresse de la pharmacie de garde, on peut téléphoner à la police, chercher dans le journal local ou lire l'information sur la porte de la pharmacie la plus proche.

JE SUIS MALADE ET JE ME FAIS SOIGNER

En France, tout le monde doit avoir un « médecin traitant » : on choisit librement son médecin généraliste et on le déclare à sa caisse d'assurance maladie.

Pour venir chez le médecin, on prend rendez-vous. Mais, c'est possible de venir consulter en cas d'urgence sans rendez-vous. La consultation coûte 22 euros (23 euros à partir du 1er janvier 2011).

Quand on a une maladie grave, le médecin généraliste vous envoie chez un médecin spécialiste pour des examens complémentaires. Quand on un problème grave de santé, on peut aussi aller au service des urgences à l'hôpital, 24 h/24, ou faire un numéro de téléphone d'urgence :

15	S.A.M.U. (service d'aide médicale d'urgence)
17	POLICE SECOURS
18	POMPIERS

En France, il existe l'organisme de la Sécurité sociale : tout le monde l'appelle « la Sécu ». Quand on est inscrit, on reçoit une « carte Vitale ».

On paie la consultation médicale ou on achète des médicaments, puis on présente sa carte Vitale : cinq jours après, on reçoit le remboursement des frais. Une consultation est remboursée à 70 %.

Beaucoup de personnes prennent une assurance privée complémentaire, « une mutuelle », pour être remboursé à 100 %.

La France compte **62 millions** d'habitants.

Sa superficie est de **551 000 km²**.

Elle est bordée :

- à l'ouest par l'océan Atlantique, la Manche, la Mer du Nord,
- au nord par la Belgique, le Luxembourg, l'Allemagne,
- à l'est par la Suisse,
- au sud-est par l'Italie et Monaco,
- au sud-ouest par l'Espagne et l'Andorre,
- au sud, par la mer Méditerranée.

Elle fait partie des 27 **États de l'Union européenne**.

La République française comprend :

La métropole (divisée en **22 régions** et **96 départements**),

4 départements et régions d'outre-mer (DROM) : la Guadeloupe, la Martinique, la Guyane, La Réunion,

2 pays d'outre-mer (POM) : la Polynésie française et la Nouvelle-Calédonie,

6 collectivités d'outre-mer (COM) : Saint-Barthélemy, Saint-Martin, Saint-Pierre et Miquelon, Wallis et Futuna, Mayotte,

2 territoires d'outre-mer (TOM) : les Terres australes et antarctiques françaises,

1 collectivité spécifique : la Corse avec 2 départements.

LA LANGUE FRANÇAISE ET LA FRANCOPHONIE

En France, la **langue officielle** est le français, mais ce n'est pas le seul pays.

La francophonie (avec un f minuscule) désigne le fait de parler français.

La Francophonie (avec un F majuscule) désigne une communauté constituée de populations (en partie) francophones.

L'Organisation internationale de la Francophonie (l'OIF) est une institution composée de cinquante pays environ. Elle représente la Francophonie.

L'espace francophone est l'espace où l'on parle français.

Dans certains pays même si le français est la langue officielle, il n'est pas forcément la langue maternelle de la population.

Les médias

LA PRESSE FRANÇAISE

Un quotidien paraît tous les jours.

Un hebdomadaire est édité toutes les semaines.

Un mensuel est édité tous les mois.

LES QUOTIDIENS NATIONAUX

Libération

Le Monde

Le Parisien

Les Echos

Le Figaro

L'Humanité

La Croix

France Soir

Ils sont gratuits :

Metro

20 minutes

Direct matin et Direct soir

Il y a aussi :

des **quotidiens régionaux** (Ouest-France, Nice matin, Corse matin, Dernière Nouvelles d'Alsace, La Tribune…).

des **quotidiens sportifs** (l'Équipe)

et des **périodiques** (Courrier International, Les Clefs de l'actualité Junior, Elle, L'Express, Marianne, Le Monde Diplomatique, Le Nouvel Observateur, Le Point, Sciences et Avenir, L'Etudiant, Phosphore, Télérama…)

LA TÉLÉVISION PUBLIQUE ET PRIVÉE

Les **chaînes publiques : France 2, 3, 4, 5, Ô.**

Il y a aussi **Arte**, une chaîne franco-allemande.

Les chaînes privées sont financées par la publicité et les abonnements des téléspectateurs.

La chaîne internationale francophone **TV5 MONDE** rediffuse dans le monde certains programmes des chaînes publiques partenaires (françaises, suisses, belges et canadiennes).

LA RADIO PUBLIQUE ET PRIVÉE

DÉCOUVRIR LE MILIEU PROFESSIONNEL À 14 ANS

Depuis 2005-2006, les élèves de 14-15 ans en classe de 3e (dernière année du collège) doivent passer une **semaine d'observation en milieu professionnel.** Les élèves et leurs parents peuvent choisir l'entreprise ou le service administratif.

Attention ! L'élève ne doit pas travailler réellement comme un employé et il ne reçoit pas d'argent ; l'objectif est d'observer le secteur qui le motive et qui peut aider son orientation dans ses études futures.

CONTINUER SES ÉTUDES

↪ L.M.D. : l'Europe des étudiants

L'enseignement supérieur propose 3 niveaux de sortie vers la vie professionnelle :

- la **licence** (L), après les trois premières années d'études (Bac +3) ;
- le **master** (M), après 5 années d'études (Bac +5);
- le **doctorat** (D). après 8 années d'études (Bac +8).

Les études supérieures, à l'heure européenne, sont désormais organisées en semestres et en unités d'enseignement (U.E.).

Dans chaque université ou école supérieure, il y a un bureau pour les étudiants, « *la vie étudiante* », des sites d'orientation (comme www.onisep.fr) et une plateforme internet appelé E.N.T (environnement numérique de travail) où on trouve tous les documents de cours, les informations pratiques et les forums de discussion.

↪ Plus de mobilité, plus de possibilités

Chaque semestre obtenu permet aussi de recevoir 30 ECTS (*European Credits Transfer System*) : c'est utile quand on change d'université ou de pays ! À l'université, semestre après semestre, l'étudiant peut préciser, modifier ou orienter ses études. Avec le système L.M.D., les étudiants peuvent circuler facilement dans toute l'Union européenne et commencer, par exemple, leurs études en France, continuer en Allemagne et finir en Espagne !

Vous travaillez et vous voulez étudier ?

LA FORMATION CONTINUE

À l'âge adulte, on travaille. On peut aussi suivre des cours théoriques ou pratiques sans arrêter de travailler : c'est **la formation continue.** La loi française et les règlements des entreprises proposent beaucoup de possibilités pour les salariés.

La personne veut développer d'autres compétences (langues, informatique, etc.). Elle fait une **demande de formation continue** à son employeur. S'il accepte, il paie une partie ou la totalité de la formation. La formation se passe en général après les horaires de travail.

La personne travaille depuis dix ou vingt ans et veut obtenir un diplôme. Elle doit déposer à l'université un dossier avec des documents qui prouvent ses compétences au travail. Elle fait alors une **VAE** (Validation des acquis de l'expérience) pour changer son expérience en un diplôme.

La personne veut suivre une formation complète pendant trois, six ou dix mois dans un organisme de formation. Elle demande un long congé sans recevoir de salaire (un **congé sans solde**) pour cette période.

Chaque année, la direction et les représentants du personnel fixent **le plan de formation** pour l'année suivante. Chaque salarié a le droit de faire une demande de formation continue.

LA FORMATION DES ADULTES

Pour la formation des adultes, il existe différentes structures. Les structures privées ont formé 81 % des salariés en 2008. On peut aussi s'inscrire pour des formations à distance. Pour cela, on peut consulter le portail internet http://www.formations-distance.com.

PROFESSIONS ET CATÉGORIES SOCIOPROFESSIONNELLES EN FRANCE

En France, on peut commencer à travailler à partir de 16 ans, à la fin de la scolarité obligatoire.

Les professions et catégories socioprofessionnelles (PCS) sont déterminées par l'Institut national de la statistique et des études économiques (Insee) et ont pour but de classer la **population active française**.

LES 8 CATÉGORIES PRINCIPALES

1. les agriculteurs (secteur primaire) : les pêcheurs, les mineurs...
2. les artisans, commerçants et chefs d'entreprises ;
3. les cadres, professions intellectuelles supérieures ;
4. les professions intermédiaires ;
5. les employés ;
6. les ouvriers ;
7. les retraités ;
8. les autres personnes sans activité professionnelle.

LE TEMPS DE TRAVAIL

Depuis 2000, les Français travaillent 35 heures par semaine mais il est possible que des employés travaillent plus de 35 heures. Ils peuvent alors être payés en heures supplémentaires.

Les employés de l'administration française travaillent du lundi au vendredi.

Certains commerces ne sont pas ouverts le lundi mais le samedi. Il est rare de trouver des commerces ouverts le dimanche, sauf cas exceptionnel (soldes, période de Noël...)

QUELQUES TYPES DE CONTRATS

En droit français, il existe différents types de contrat de travail :
- le contrat **à durée indéterminée** (CDI) : sans durée dans le temps
- le contrat **à durée déterminée** (CDD) : avec des dates de début et de fin de contrat
- le contrat **temporaire** ou d'**intérim** : pour une courte période
- le contrat **à temps partiel** en CDD ou en CDI : avec un nombre d'heure limité
- les contrats **jeunes** : contrat d'apprentissage, contrat de professionnalisation

LES TROIS FONCTIONS PUBLIQUES

La fonction publique hospitalière
Les hôpitaux, les maisons de retraite publiques...

La fonction publique territoriale
regroupe l'ensemble des emplois des collectivités territoriales (la commune, le département, la région) et de leurs établissements publics.

La fonction publique d'État

Établissements publics d'enseignement (universités, lycées, collèges), ainsi que dans les établissements publics administratifs rattachés aux différents ministères.

En France, il existe le **Salaire minimum interprofessionnel de croissance** (SMIC). Il n'est normalement pas possible de rémunérer un salarié en dessous du **SMIC**. Son taux est fixé par le gouvernement et il varie en fonction de l'évolution générale des salaires. Il est réévalué au minimum tous les ans (au 1er Juillet généralement).

Montant du SMIC au 1er janvier 2011 :

Smic horaire brut ....9 €

Smic horaire net...7,06 €

Smic mensuel brut (base 35 heures)..........1 365 €

Smic mensuel net ....1 073 €

CHERCHER UN EMPLOI

Pôle emploi est un organisme unique chargé à la fois de payer les chômeurs et de faciliter leur recherche d'emploi (www.pole-emploi.fr).

Il existe aussi **la mission locale** (http://www.mission-locale.fr/) pour les jeunes de 16 à 25 ans, **les maisons de l'emploi,** présentent un peu partout en France, qui regroupent tous les organismes permettant de trouver un emploi et/ou une formation.

On peut aussi consulter **les petites annonces** ou **les offres d'emploi** dans les journaux (hebdomadaires, quotidiens) ou sur Internet.

Les agences d'intérim (Manpower, Randstad, Adecco, etc.)

Elles proposent des emplois temporaires (CDD) de durée variable (1 semaine, 1 mois, 10 mois...).

Pour trouver un emploi, il faut préparer certains documents :

- Un curriculum-vitæ (CV) ;

- Une lettre de motivation ;

- Vous pouvez trouver des exemples de CV sur le site : www.europass-france.org

DIPLÔME D'ÉTUDES EN LANGUE FRANÇAISE

DELF A1

Niveau A1 du Cadre européen commun de référence pour les langues

NATURE DES ÉPREUVES	DURÉE	NOTE SUR
1 **Compréhension de l'oral** Réponse à des questionnaires de compréhension portant sur trois ou quatre très courts documents enregistrés ayant trait à des situations de la vie quotidienne. (2 écoutes) *Durée maximale des documents : 3 minutes*	**20 minutes environ**	**/25**
2 **Compréhension des écrits** Réponse à des questionnaires de compréhension portant sur quatre ou cinq documents écrits ayant trait à des situations de la vie quotidienne.	**30 minutes**	**/25**
3 **Production écrite** **Épreuve en deux parties :** • compléter une fiche, un formulaire • rédiger des phrases simples (cartes postales, messages, légendes, etc.) sur des sujets de la vie quotidienne	**30 minutes**	**/25**
4 **Production orale** **Épreuve en trois parties :** • entretien dirigé • échanges d'informations • dialogue simulé	**5 à 7 minutes** *Préparation : 10 minutes*	**/25**

Seuil de réussite pour obtenir le diplôme : 50/100
Note minimale requise par épreuve : 5/25
Durée totale des épreuves collectives : 1 heure 20 minutes

NOTE TOTALE : **/100**

Compréhension de l'oral

25 points

Répondez aux questions en cochant (☒) la bonne réponse, ou en écrivant l'information demandée.

EXERCICE 1

4 points

Vous allez entendre 2 fois un document. Il y aura 30 secondes de pause entre les 2 écoutes puis vous aurez 30 secondes pour vérifier vos réponses. Lisez les questions.

Vous écoutez la messagerie de votre téléphone.

❶ Qui laisse ce message ?

1 point

A ❑   B ❑   C ❑

❷ La personne vous donne rendez-vous...

1 point

❑ ce soir.   ❑ demain midi.   ❑ la semaine prochaine.

❸ Qu'est-ce que vous devez apporter ?

1 point

....

❹ Vous devez appeler avant quelle heure ?

1 point

...... h ......

⋯➡

EXERCICE 2 🎧 54

5 points

Vous allez entendre 2 fois un document. Il y aura 30 secondes de pause entre les 2 écoutes puis vous aurez 30 secondes pour vérifier vos réponses. Lisez les questions.

Vous êtes à la gare de Poitiers et vous entendez cette annonce. Répondez aux questions.

❶ Le train va à...   *1 point*

   ❑ Paris.   ❑ Bordeaux.   ❑ Montpellier.

❷ Le train part à quelle heure ?   *1 point*

   ...... h ......

❸ 3. Le train arrive en gare voie...   *1 point*

   ❑ B.   ❑ C.   ❑ D.

❹ Le train propose quel service ?   *2 points*

   ....

EXERCICE 3 🎧 55

6 points

Vous allez entendre 2 fois un document. Il y aura 30 secondes de pause entre les 2 écoutes puis vous aurez 30 secondes pour vérifier vos réponses. Lisez les questions.

Vous entendez cette publicité à la radio. Répondez aux questions.

❶ C'est une publicité pour...   *1 point*

   ❑ un club de sport.   ❑ une association.   ❑ une agence de voyages.

❷ Quelle activité est proposée dans cette annonce ?   *1 point*

   A ❑   B ❑   C ❑

❸ Vous pouvez avoir des informations sur le site Internet...   *2 points*

   ❑ www.biendanssoncorps.fr   ❑ www.bien-danssoncorps.fr   ❑ www.bien-dansons-corps.fr

❹ Vous pouvez téléphoner au 08. ... .   *2 points*

➠

EXERCICE 4 56 (10 points)

Vous allez entendre plusieurs petits dialogues correspondant à des situations différentes.

Il y aura 15 secondes de pause après chaque dialogue. Puis vous entendrez à nouveau les dialogues et pourrez compléter vos réponses. Regardez d'abord les images.

Mettez le numéro de la situation sous l'image correspondante.
Attention, il y a 6 images et seulement 5 situations.

A

Situation n°..........

B

Situation n°..........

C

Situation n°..........

D

Situation n°..........

E

Situation n°..........

F

Situation n°..........

Compréhension des écrits 25 points

EXERCICE 1   6 points

Vous recevez le message suivant. Pour répondre aux questions, cochez (☒) la bonne réponse ou
écrivez l'information demandée.

> Salut,
>
> Pour ton anniversaire lundi prochain, on t'invite à
> la maison avec Fabien. N'apporte rien à manger ou à
> boire ! On prépare tout.
>
> Tu as un train rapide ; il part à 17 h 57 et arrive
> à 18 h 42. On vient te chercher à la gare.
>
> Tu peux rester deux ou trois jours, alors apporte seulement
> une petite valise.
>
> À lundi,
>
> Grosses bises,
>
> Amélie et Fabien

❶ Amélie vous écrit pour...   *1 point*

❏ son anniversaire.   ❏ votre anniversaire.   ❏ l'anniversaire de Fabien.

❷ Où se passe la fête ?   *2 points*

....

❸ Pour lundi, vous allez...   *1 point*

❏ préparer un repas.   ❏ aller au restaurant.   ❏ dîner chez des amis.

❹ À quelle heure Amélie doit être à la gare ?   *1 point*

...... h ......

❺ Vous devez venir avec...   *1 point*

A ❏   B ❏   C ❏

EXERCICE 2 (6 points)

Vous recevez le document suivant. Pour répondre aux questions, cochez (⊠) la bonne réponse ou écrivez l'information demandée.

LE CLUB DE SAINT-MALO

Madame, monsieur,

Le Club de Saint-Malo vous invite à son grand dîner du 31 décembre. Nous vous attendons au restaurant « La ferme du dolmen » à partir de 21 heures.

Au programme : dîner de fête et musique.

Vous habitez à Saint-Malo ? Pour venir, prenez la Départementale 355 jusqu'à Cancale. Traversez Cancale et prenez la Départementale 76 pendant 10 kilomètres. Prenez à gauche la Départementale 155. Traversez le village de Saint-Breladre. « La ferme du dolmen » est entre Saint-Broladre et La Poultière.

Merci de confirmer votre venue avant le 16 décembre par téléphone au 02 99 58 14 69.

À bientôt.

Le Club de Saint-Malo
1, avenue de la mer
35 400 Saint-Malo

---

❶ Ce document est...   *1 point*

❑ une inscription.   ❑ une information   ❑ une confirmation.

❷ Vous êtes intéressé(e) par cet événement. À quelle date vous allez participer ?   *1 point*

....

❸ L'itinéraire proposé est pour les habitants de...   *1 point*

❑ Saint-Malo.   ❑ Saint-Broladre.   ❑ Dol de Bretagne.

❹ Que faut-il faire pour répondre au Club de Saint-Malo ?   *1 point*

....

❺ Sur la carte, tracez le chemin pour aller au restaurant « La ferme du dolmen »   *2 points*

Vous êtes ici

EXERCICE 3

Vous lisez ces annonces. Pour répondre aux questions, cochez (X) la bonne réponse ou écrivez l'information demandée.

Supermarché Bel-Air

Organise les loisirs pour enfants

Juillet-août (fermeture le dimanche)

6 jours de vêtements pour hommes à des prix bas !

Du lundi 24 au samedi 29

Tél : 04 42 75 57 77

NOUVELLE ÉPICERIE BIO

14 H – 18 H LUNDI À SAMEDI

QUARTIER DES MINIMES

Maisons et Services

ménage, jardinage à domicile

Tél : 04 42 37 56 55
de 9 heures à 19 heures
(sauf dimanche et fêtes)

Région Provence

Vidéo Vision

Prix spécial pour nouveaux clients

Ouvert samedi et dimanche toute la journée

Tél : 04 91 06 07 08

❶ Quel magasin propose ses services le dimanche ?   *1 point*

....

❷ Vous pouvez faire vos courses à l'épicerie bio...   *2 points*

❏ à 10 heures. ❏ à 17 heures. ❏ à 20 heures.

❸ À quel numéro il faut téléphoner pour avoir un jardinier ?   *1 point*

... .

❹ Quel magasin propose un service pour les enfants ?   *1 point*

....

❺ Quand vous pouvez acheter des vêtements pas chers ?   *1 point*

....

EXERCICE 4   7 points

Vous lisez l'information suivante. Pour répondre aux questions, cochez (X) la bonne réponse ou écrivez l'information demandée.

Un nouveau café !

Notre ville organise le samedi matin de 9 heures à 11 heures un petit déjeuner en français au café du Centre. Toutes les personnes étrangères peuvent venir. Leur désir est de communiquer en français. Attention, ce n'est pas un cours de langue : tout le monde peut parler de loisirs ou de sa vie de famille, mais pas de politique, avec un niveau de langue minimum.

Le rendez-vous est gratuit, il faut seulement payer son café ou son petit déjeuner.

D'après cafelangues-dunkerque.blog.fr

❶ Cet article parle...   *2 points*

❑ d'une école française.   ❑ de rencontres françaises.   ❑ de spécialités françaises.

❷ De quelle origine sont les personnes le samedi matin ?   *1 point*

....

❸ Le samedi matin les personnes peuvent discuter de quels thèmes ?   *1 point*

....

❹ Pour venir le samedi matin, on doit parler...   *2 points*

❑ différentes langues.   ❑ très bien le français.   ❑ un peu le français.

❺ Dans le texte, pour quoi les personnes donnent de l'argent ?   *1 point*

A ❑   B ❑   C ❑

3 ▸ Production écrite

25 points

EXERCICE 1

10 points

Complétez ce document pour répondre à cette enquête de consommation.

Bien connaître nos clients pour avoir un service parfait !

Merci de compléter cette enquête.
À envoyer à :
Service consommateurs – ID
BP 34607
60 923 CREIL Cedex 7

ENQUÊTE DE CONSOMMATION

<u>Famille</u>

Votre profession : ....*1 point*

Profession de votre conjoint(e) : ....*1 point*

Nombre d'enfants : ....*1 point*

<u>Habitat</u>

Quel logement ?..*1 point*

Où (ville, campagne, banlieue, etc.) ? ....*1 point*

Quel équipement électronique ? ....*1 point*

<u>Loisirs</u>

Quel est votre sport préféré ? ....*1 point*

Quelle est votre destination de voyage préférée ? ....*1 point*

Quel est votre loisir du week-end ?..*1 point*

Citez deux sorties culturelles : .... - .... *(0,5x2) 1 point*

Merci de votre participation !

EXERCICE 2 (15 points)

Vous passez dire bonjour à votre collègue mais elle n'est pas là. Vous laissez un message sur son bureau : vous saluez votre collègue et l'invitez à boire un verre. Vous précisez le lieu, la date et l'heure du rendez-vous. Vous donnez votre numéro de téléphone et votre adresse électronique.

40 à 50 mots

Production orale

25 points

L'épreuve se déroule en trois parties : un entretien dirigé, un échange d'informations et un dialogue simulé (ou jeu de rôle).
Elle dure de 5 à 7 minutes.
Vous disposez en outre de 10 minutes de préparation pour les parties 2 et 3.

10 minutes de préparation

5 à 7 minutes de passation

1 ENTRETIEN DIRIGÉ (1re PARTIE) - *1 minute environ*

Vous répondez aux questions de l'examinateur sur vous-même, votre famille, vos goûts ou vos activités (exemples : comment vous vous appelez ? quelle est votre nationalité ?...)

2 ÉCHANGE D'INFORMATIONS (2e PARTIE) - *2 minutes environ*

DOCUMENTS POUR LA 2ᵉᴹᴱ PARTIE DE L'ÉPREUVE

| Théâtre ? | Bateau ? | Études ? | Film ? |

| Dessert ? | Tennis ? | Musée ? | Tourisme ? |

3 DIALOGUE SIMULÉ ou JEU DE RÔLE (3e PARTIE) - *2 minutes environ*

Vous choisissez un des deux sujets suivants. Vous jouerez la situation avec l'examinateur.

Le genre masculin est utilisé pour alléger le texte.
Vous pouvez naturellement adapter la situation en adoptant le genre féminin.

▶ **SUJET 1** **DANS UNE ÉPICERIE**

Vous êtes dans une épicerie dans un petit village près de Marseille. Vous choisissez des produits. Vous demandez les prix et vous payez.
L'examinateur joue le rôle du vendeur.

Le genre masculin est utilisé pour alléger le texte.
Vous pouvez naturellement adapter la situation en adoptant le genre féminin.

▶ **SUJET 2** **DANS UNE LIBRAIRIE-PAPETERIE**

Vous allez commencer vos cours de français à Grenoble. Vous avez besoin de matériel. Vous demandez des informations sur les livres et leur prix, vous choisissez et vous payez.
L'examinateur joue le rôle du vendeur.

Le genre masculin est utilisé pour alléger le texte.
Vous pouvez naturellement adapter la situation en adoptant le genre féminin.

▶ **SUJET 3** **AU CLUB DE SPORT**

Vous habitez à Ajaccio, en Corse. Vous allez au club de sport de votre quartier. Vous vous informez sur les activités proposées et leur tarif. Vous choisissez et vous payez.
L'examinateur joue le rôle du responsable du club.

DOCUMENTS POUR LA 3ᵉ PARTIE DE L'ÉPREUVE

20 cents

50 cents

1 euro

2 euros

Transcriptions

Compréhension de l'oral

Ministère de l'Éducation nationale / Centre international d'études pédagogique / DELF niveau A1 du *Cadre européen commun de référence pour les langues*, version adulte, épreuve orale collective.

Exercice 1

Vous allez entendre 2 fois un document. Il y aura 30 secondes de pause entre les 2 écoutes puis vous aurez 30 secondes pour vérifier vos réponses. Lisez les questions.

Première écoute :

Bonjour ! Le garage Dubois à l'appareil. Votre voiture ne va pas être prête ce soir. Je peux vous donner rendez-vous demain à midi et demie. N'oubliez pas votre assurance. Vous pouvez contacter mon secrétaire M.Lampache aujourd'hui avant 19 heures, pour confirmer notre rendez-vous. Merci et bonne journée.

Deuxième écoute :

Exercice 2

Vous allez entendre 2 fois un document. Il y aura 30 secondes de pause entre les 2 écoutes puis vous aurez 30 secondes pour vérifier vos réponses. Lisez les questions.

Première écoute :

Mesdames et messieurs, votre attention s'il vous plaît. Le train numéro 8357 en provenance de Paris-Montparnasse et à destination de Bordeaux, départ prévu à 16 h 10, va entrer en gare, voie D. Il dessert les gares d'Angoulême, de Libourne et Bordeaux. Ce train dispose d'un service de restauration.

Deuxième écoute :

Exercice 3

Vous allez entendre 2 fois un document. Il y aura 30 secondes de pause entre les 2 écoutes puis vous aurez 30 secondes pour vérifier vos réponses. Lisez les questions.

Première écoute :

L'association « Sports et voyages en France » propose des séjours originaux : marche à pied dans les Alpes-Maritimes, escalade en Gironde, planche à voile en Bretagne. Pour plus d'informations, allez sur le site internet www.bien-danssoncorps.fr ou téléphonez au 08.20.16.30.15.

Deuxième écoute :

Exercice 4

Vous allez entendre plusieurs petits dialogues correspondant à des situations différentes. Il y aura 15 secondes de pause après chaque dialogue. Puis vous allez entendre à nouveau les dialogues pour compléter vos réponses. Regardez d'abord les images.

Première écoute :

Situation 1
- Votre fils est très fatigué en ce moment, il s'endort en classe.
- Oui, je sais. Il va réduire ses activités après l'école.

Situation 2
- Les réunions parents-professeurs se terminent toujours tard ?
- Oui, regardez, tous les parents sont là pour rencontrer les professeurs de leur enfant.

Situation 3
- J'ai inscrit mes deux enfants à un cours de russe.
- Ah oui ! Ils vont où ?
- Dans une école de langues, pas très loin du lycée Balzac.

Situation 4
- Dépêche-toi ! Tu as vu l'heure ?
- Oui, je sais maman, je me dépêche.
- Tu vas être en retard à ton examen de sciences !

Situation 5 :
- Alors, cette dernière journée ?
- Je suis super contente, l'école est enfin finie. Je vais pouvoir m'amuser un peu !
- Et te reposer !

Deuxième écoute :

L'épreuve de compréhension orale est terminée. Passez maintenant à l'épreuve de compréhension écrite.

Corrigés

Activité 1 – page 12 : 7 h 30.

Activité 2 – page 12 : 12 h 20.

Activité 3 – page 13 : 15 h 00.

Activité 4 – page 13 : 30 minutes.

Activité 5 – page 13 : 14 h 00.

Activité 6 – page 13 : 20 h 06.

Activité 7 – page 14 : 8,15 €.

Activité 8 – page 14 : 2,50 €.

Activité 9 – page 14 : 98 €.

Activité 10 – page 14 : 3 kg.

Activité 11 – page 14 : 5 paires de chaussettes.

Activité 12 – page 15 : 2 formules.

Activité 13 – page 15 : le 22/08/1977

Activité 14 – page 15 : samedi 26 mars.

Activité 15 – page 15 : le 29 août

Activité 16 – page 16 : 38 ans.

Activité 17 – page 16 : Jean-Marc : 51 ans, Louise : 40 ans.

Activité 18 – page 16 : 20 ans.

Activité 19 – page 16 : 8365.

Activité 20 – page 16 : 7823.

Activité 21 – page 17 : 8765.

Activité 22 – page 17 : 4.

Activité 23 – page 17 : 02.34.45.56.67.

Activité 24 – page 17 : 06.34.21.45.98.

Activité 25 – page 17 : 02.47.45.54.62.

Activité 26 – page 18
1. À son anniversaire.
2. À un mariage.

Activité 27 – page 18
1. Annuler votre rendez-vous de l'après-midi.
2. Chez le médecin.

Activité 28 – page 19
A – 3 ; B – 4 ; C – 2 ; D – 5 ; E – 1 ; F – 6

Activité 29 – page 19
1. B ; 2. E ; 3. F ; 4. D ; 5. A ; 6. C

Activité 30 – page 20
1. B ; 2. B ; 3. Devant la Poste.

Activité 31 – page 20
1. A ; 2. De l'eau ; 3. Stéphane.

Activité 32 – page 21
1. En colère : n° 6
2. Triste : n° 3
3. Content(e) : n° 2
4. Fatigué(e) : n° 4
5. Malade : n° 5
6. Inquiet(e) : n° 1

Activité 33 – page 21
1. Bruno ne vient pas.
2. Marjolaine vient peut-être.
3. Maud vient.
4. Roselyne vient.
5. Sylvie ne vient pas.
6. Yves vient peut-être.

Activité 34 – page 22
1. 10 % ; 2. C ; 3. 20 minutes.

Activité 35 – page 22
1. Aller écouter un groupe de musique.
2. Juillet.
3. 01.20.30.40.50.
4. Musique.

Activité 36 – page 23
A – 4 ; B – 1 ; C – 3 ; D – 2

Activité 37 – page 23
A, C

Activité 38 – page 24

Phonétique – page 25
1. H ; 2. F ; 3. F ; 4. F ; 5. H ; 6. H ; 7. F

Activité 39 – page 25
De gauche à droite :
Laëtitia, Lucas, Julie, Maxime, Jeanne, grand-mère

Activité 40 – page 26

Activité 41 – page 26
1. B (Jean Tourloupe)

Activité 42 – page 27
1. C ; 2. A ; 3. B ; 4. D

Activité 43 – page 27
1. B ; 2. 19 degrés.

Activité 44 – page 27

Membre de la famille de Jean	Âge	Profession	Activité sportive pratiquée
Père	61 ans	Employé de banque	Cyclisme – Faire du vélo
Mère	59-60 ans	Vendeuse	Natation - Nager
Frère	24 ans	Professeur d'histoire-géographie	Tennis
Sœur	34 ans	Professeur de français	Danse

Activité 45 – page 28
A - 5 ; B - 3 ; C - 4 ; D - 2 ; E - image supplémentaire ; F - 1

Exercice 1 – page 29
1. C.
2. 10 h 00.
3. Chez Juliette.
4. Le déjeuner.

Exercice 2 – page 30
1. À Paris.
2. Le samedi (28 juin).
3. Son dernier album.
4. 01 41 45 53 55.

Exercice 3 – page 30
1. Aller sur Internet.
2. A546.
3. Le 18 avril.
4. Titre de séjour.

Exercice 4 – page 31
A - 5 ; B - 3 ; C - 4 ; D - 1 ; E - image supplémentaire ; F - 2

COMPRÉHENSION DES ÉCRITS

Activité 1 – page 40
1. vous ; 2. rappeler un rendez-vous ;
3. Chez le dentiste.

Activité 2 – page 41
1. B – A – C
2. A : inviter ; B : demander ; C : donner un ordre

Activité 3 – page 42
1. de trois événements.
2. d'assister à une cérémonie.
3. la fête (pour le mariage).
4. B

Activité 4 – page 44
1. autoritaire.
2. des instructions.
3. 3 réponses parmi : chaises, table, parasol, assiettes, verres.
4. A - 2 ; B - 3 ; C - 1

Activité 5 – page 46
1. annonce des nouveaux tarifs.
2. 7, rue Léonard de Vinci.
3. 1, rue Littré.

Activité 6 – page 47
1. sa date d'ouverture ; 2. C ; 3.

Activité 7 – page 48
1. les mariages ; 2. salle 8 ; 3. l'ascenseur

Activité 8 – page 50
1. A – B – E ; 2. mardi – mercredi – jeudi ; lundi – mercredi ; 3. vendredi après-midi ; 4. le matin avant 7 heures.

Activité 9 – page 51
1. dernier mercredi du mois ; 2. 2 pauses ; 3. B

Activité 10 – page 52
1. un petit boulot ; 2. C

Activité 11 – page 53
1. propose une aide médicale ; 2. Le fils Bonpied.
3.

	Lundi	Mardi	Mercredi	Jeudi	Vendredi	Samedi	Dimanche
Matin	●	●	●				
Midi	O	O	O	O	O	O	O
Soir	●	●	●	●			

Activité 12 – page 54
1. une annonce commerciale.
2. aux travailleurs.
3. organismes spécialisés et de formation.

Activité 13 – page 55
1. la liste des activités proposées.
2. Jeunes de 12 à 16 ans.
- Les vacances de Noël.
- Les inscriptions.
3. A - B - C

Activité 14 – page 57
1. ouverture de la bibliothèque le 1er mars (ou toute formulation similaire)
2. le mercredi à 20 heures.
3. 4 livres.
4. A – D

Exercice 1 – page 59
1. une fête.
2. le samedi 23.
3. sur un bateau.
4. des boissons.
5. B.

Exercice 2 – page 60
1. La Saint-Martin.
2. manger des spécialités.
3. Rue des Halles.
4. 5 euros.
5.

Exercice 3 – page 62
1. travailler en fin de semaine.
2. le lundi 11 à midi.
3. 55 46
4. les horaires précis.
5. le secrétariat de direction.

Exercice 4 – page 63
1. A
2. les modalités d'inscription.
3. le soir.
4. 18 ans.
5. (avoir) un projet professionnel.

Corrigés

PRODUCTION ÉCRITE

Activité 1 – page 68

FICHE D'INSCRIPTION

Nom : **GOMES**
Prénom : **Sylvain**
Activité professionnelle : **professeur des écoles**
Âge : **29 ans**
Niveau : **très bon**

JOURS D'ENTRAÎNEMENT	HORAIRES
lundi	19 h – 21 h
mercredi	14 h – 16 h

Activité 2 – page 69

PARTICIPATION
Séminaire – juin 2010

Nom : **RUBEMPRE**
Prénom : **Madeleine**
Fonction : **Vice-présidente**
Organisme ou école : **Association les Amis de Victor Hugo**
Courriel : **mrubempre@victor-hugo.asso.fr**
Adresse : **24, rue de Guernesey**
Ville : **Dinan**

Activité 3 – page 70

Hôtel de la Boule d'Or - 66, quai Jeanne d'Arc - 37 500 Chinon
Nom : + ligne à compléter à chaque fois
Prénom :
Nationalité : *adjectif (au féminin si possible)*
N° de passeport :
Date de naissance : *respecter les normes de la date*
Date et heure d'arrivée : *idem*
Date et heure de départ : *idem*
Nombre d'adultes : *chiffres ou lettres*
Nombre d'enfants (- 12 ans) : *idem*
Nombre de chambres : *idem*
Quel petit-déjeuner souhaitez-vous ?
(2 formules différentes maximum)
   1 – *par exemple boisson + pain*
   2 – *par exemple jus + œuf…*

Activité 4 – page 71
Proposition de corrigé
De : Ian Mac Cromwell
À : Famille Louet
Objet : présentations
Bonjour,
Je m'appelle Ian Mac Cromwell, je suis irlandais et j'ai gagné 4 semaines de vacances en France. Je suis très content de venir chez vous. Je vais habiter chez vous du 2 juin au 29 juin.
Je vous remercie pour votre accueil.
Amitiés,
Ian M (45 mots)

Activité 5 – page 72
Proposition de corrigé
De : Sonia
À : Alice
Objet : rdv
Salut Alice,
Je te propose de nous rencontrer mardi prochain à 19 heures au restaurant « La Table des amis ». Bien sûr, je t'invite à dîner. Tu sais, maintenant je suis brune. Mardi, je viens habillée en robe rouge avec des chaussures rouges. Ah, et j'ai des lunettes maintenant !
À mardi soir, Bises
Sonia (53 mots)

Activité 6 – page 73
Proposition de corrigé
Bonjour,
Ca y est, j'ai un appartement à Lille et il est grand : 3 chambres, 2 salles de bains et… une terrasse. Alors, je vous attends. Dites-moi quel jour vous arrivez ! Vous restez combien de temps ? Pour le programme des visites, on va voir ensemble.
J'attends votre réponse,
Bien à vous,
Jessy (54 mots)

Activité 7 – page 74
Proposition de corrigé
Dimanche : Super, je vais à la plage et je dors.
Lundi : je visite la région et le parc naturel.
Mardi : je fais du bateau avec mes amis.
Mercredi : je fais une excursion toute la journée.
Jeudi : je me repose chez des amis. Ils ont une piscine.
Vendredi : je prépare une grande fête avec tous les amis.
Samedi : je fais le ménage, et je ferme la maison.

Activité 8 – page 75
Proposition de corrigé
Et — mais — alors — ou

Activité 9 – page 76
Proposition de corrigé
1. On est en montagne. La promenade est difficile mais la nature est très belle.
2. Ce soir, toute la famille regarde la télé : c'est le film du Festival de Cannes 2010 !
3. Il pleut et Paris est vraiment terrible. Mais on est en haut de la Tour Eiffel et c'est beau !
4. On est à la plage, il fait beau et je fais du sport !

Activité 10 – page 77
Proposition de corrigé
1. J'ai le plaisir de déménager le 31 octobre !
2. Je vous informe que je fais une grande fête avec des amis
3. dans mon appartement au 3ème étage
4. le dimanche 15 octobre
5. de 20 heures à 2 heures du matin.
6 Je vous prie de m'excuser pour le bruit. Merci de votre compréhension.

Activité 11 – page 78
Proposition de corrigé
1. Carte 1
Invitation
C'est mon anniversaire samedi prochain.
Venez tous chez moi et apportez votre musique.
On va danser toute la nuit.
J'attends votre réponse : combien êtes-vous ?
Tél : 06 33 56 47 12 ou piR2@gmail.com

2. Carte 2
M. et Mme Brulé   M. et Mme Ribeiro
ont le bonheur de vous annoncer le mariage de Amarina et Alexandre
Vendredi 24 septembre 2010 à la mairie de Bandol à 15 heures.
Un cocktail suivra la cérémonie à la salle des fêtes de Bandol.
Réponse souhaitée avant le 29 août.
À envoyer à amalex83@mariage.com

3. Carte 3

Tous ensemble, fêtons la Bonne Année !
Famille, amis, venez faire la fête au château de la Bouchardière, à Cravant-les-Côteaux, à partir de 21 heures le 31 décembre.
Tenue de soirée conseillée.
Invitation pour deux personnes, à présenter à l'entrée.

Activité 12 – page 79
Proposition de corrigé

De : bibi45@yahoo.fr
À: mjgtop@gmail.com
Objet : petits services !
Bonjour,
Désolé mais je rentre seulement mardi prochain, j'ai un problème de transport. Pouvez-vous monter chez moi dimanche et donner à manger aux poissons ? Il y a aussi 3 plantes sur le balcon. Merci de mettre aussi un peu d'eau lundi dans le pot.
Je vous remercie beaucoup,
Cordialement,
Benjamin Bilay (49 mots)

Activité 13 – page 80
Proposition de corrigé

1. Bonjour Stéphanie,
Merci pour ton invitation. Félicitations !
J'accepte avec plaisir et je reste tout le week-end.
A très bientôt
2. Bonjour Stéphanie,
Merci pour ton invitation. Félicitations !
Je suis désolée mais ce n'est pas possible : j'ai aussi la fête de famille chez mes grands-parents.
Dommage.
Bises

Activité 14 – page 81
Proposition de corrigé

Refuser
Salut,
C'est gentil mais je ne peux pas accepter ton invitation. Je n'aime pas beaucoup le sport et le samedi, je joue la musique avec mon groupe de rock.
Désolé, amuse-toi bien,
A bientôt,
T.

Activité 15 – page 81

Bonjour à tous,
Vous savez, Dorothée a 30 ans le mois prochain. Je propose de faire une surprise pour fêter son anniversaire. Par exemple, on pourrait organiser une fête chez ses parents, ils sont d'accord. On peut venir tous déguisés. Avez-vous d'autres idées de surprises ? Qui connait bien les goûts de Dorothée pour choisir le cadeau idéal ?
Envoyez-moi vos idées très vite par mail.
Bises,
J.-F.

Exercice 1 – page 82
Proposition de corrigé

Prénom : *Djamel*
Nationalité : *tunisienne*
Date d'arrivée en France : *12 septembre 2010*
Situation de famille : *célibataire*
Langue d'origine : *arabe*
Niveau de français : *débutant*

2 loisirs préférés : *jeux vidéo/sortir*
Sport pratiqué : *tennis*
Études ou profession : *guide touristique*

Exercice 2 – page 83
Proposition de corrigé

Bonjour,
C'est avec plaisir que nous acceptons votre invitation. Bien sûr, je viens avec ma copine Jane. Malheureusement, on va arriver un peu tard : j'ai un match de volley-ball à 19 heures 30. On espère arriver à 23 heures. Jane propose d'apporter un dessert aux pommes et aux poires.
Au 1er novembre,
Amicalement,
Cédric (54 mots)

PRODUCTION ORALE

Activité 1 – page 88
Proposition de corrigé

Hikaru Mitashi - japonais - Kyoto au Japon - 26 ans - étudiant en droit - je suis célibataire - au Centre culturel français - j'aime beaucoup le français, je veux venir travailler à Paris et j'ai besoin d'un diplôme en langue française pour mon travail.

Activité 2 – page 88

2 - 6 - 4 - 9 - 3 - 5 - 1 - 8 - 7

Activité 3 – page 89
Proposition de corrigé

Une femme sort de son lit / se réveille / se lève, il est 7 h 00 à son réveil. Elle prend un café / son petit déjeuner dans la cuisine, il est 7 h 15 OU à 7 h 15, elle prend son café / son petit déjeuner. Elle se lave les dents. Elle donne à manger à ses 2 chats. Elle sort / part à 8 h 00 de la maison / de chez elle. Elle prend sa voiture. Elle arrive devant une usine. Elle est dans son bureau en réunion avec des collègues. Elle est au téléphone, le manteau sur le bras, elle est prête à partir, il est 18 h 30.
Elle prend sa voiture et elle s'arrête à la boulangerie pour acheter du pain. Elle rentre chez elle, il est 19 h 40.

Activité 4 – page 90

1 - D ; 2 - G ; 3 - H ; 4 - F ; 5 - B ; 6 - C ; 7 - A ; 8 - E

Activité 6 – page 92

1. Transports
2. Date de naissance
3. Prénom
4. Garçon
5. Montre
6. Saison

Exemples de questions :

Enfants ?	École ?	Couleur ?	Sport ?
Vous avez des enfants ?	Vos enfants vont à quelle école ?	Quelle est votre couler préférée ?	Vous pratiquez quel sport ?
Petit-déjeuner ?	**Voyages ?**	**Livre ?**	**Politique ?**
Qu'est-ce que vous manger au petit-déjeuner ?	Vous voyagez en avion ou en train ?	Vous lisez combien de livre par mois ?	Vous comprenez la politique ?
Appartement ?	**Mariage ?**	**Tradition ?**	**Culture ?**
Vous vivez en appartement ?	Vous êtes marié ?	Vous connaissez une tradition de votre pays ?	Comment s'appelle le ministre de la culture français?

Corrigés

Activité 8 – page 94
Proposition de corrigé
Dialogue 1
- Bonjour madame, en effet, j'aurais besoin *d'une chemise*.
- *Bleu ciel.*
- Je fais du *46*.
- Oui, merci mais j'aurais aussi besoin *d'une cravate* pour porter avec.
- Parfait ! *Je vous dois combien ?*
- Merci, bonne journée à vous aussi.

Dialogue 2
- Bonjour madame, je peux vous aider ?
- Oui, merci, je voudrais une robe pour un mariage s'il vous plaît.
- Alors, nous avons ce modèle, classique ou bien cet autre modèle plus original.
- Ah, j'aime beaucoup le modèle original, je peux l'essayer ?
- Bien sûr, les cabines d'essayage sont au fond du magasin. Quelle est votre taille ?
- Je fais du 38 s'il vous plaît. Mais je vais aussi essayer le 40.
- Voilà.
- C'est parfait, je prends la robe en 38, et ce petit foulard.
- Alors, ça vous fait cent quarante huit euros cinquante s'il vous plaît.
- Je peux vous payer par carte bancaire ?
- Bien sûr.
- Au revoir.
- Merci madame, très bonne journée !

Activité 9 – page 95
1 - B ; 2 - D ; 3 - E ; 4 - F ; 5 - G ; 6 - C ; 7 - A

Activité 10 – page 96
Enveloppe – tarif - envoi - colis - timbres

Activité 11 – page 96
- Bonjour madame. Je voudrais réserver une chambre s'il vous plaît.
- Oui, une chambre simple ou double ?
- Pour 2 personnes.
- Pour quelle période ?
- Dès ce soir et jusqu'au 13 août, si c'est possible.
- C'est bon, nous avons de la place. Vous voulez une chambre avec salle de bain ?
- Avec douche et toilettes bien sûr.
- Je réserve à quel nom ?
- Potiron Jean.
- Voilà, votre chambre est réservée pour ce soir et jusqu'au 13 août.
- Merci madame, nous revenons avec nos bagages !
- À tout à l'heure !

Activité 12 – page 97
Proposition de corrigé
- Oui, je voudrais une salade de chèvre chaud s'il vous plaît.
- Cette salade est mon entrée !
- Non merci, je préfère une bonne bavette à l'échalote et pour la cuisson je la veux saignante !
- Oui, je pense à une crème brûlée.
- Alors, une crème caramel !
- Une eau minérale pétillante, celle que vous voulez.

1 Compréhension de l'oral

Exercice 1 – page 111
1. C
2. demain midi
3. l'assurance
4. 19 heures

Exercice 2 – page 112
1. Bordeaux.
2. 16 h 10.
3. D
4. Un service de restauration

Exercice 3 – page 112
1. un club de sport.
2. A.
3. www.bien-danssoncorps.fr
4. 08 . 20 . 16 . 30 . 15

Exercice 4 – page 113
1. F ; 2. C ; 3. A ; 4. B ; 5. D

2 Compréhension des écrits

Exercice 1 – page 114
1. votre anniversaire.
2. chez Amélie et Fabien. (2 prénoms attendus).
3. dîner chez des amis.
4. 18 h 42.
5. B Valise

Exercice 2 – page 115
1. une information
2. 31 décembre.
3. Saint-Malo.
4. téléphoner.
5. itinéraire pour aller au restaurant « La ferme du dolmen ».

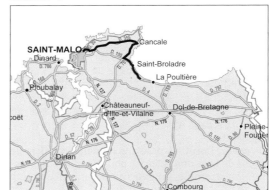

Exercice 3 – page 116
1. Vidéo Vision.
2. à 17 heures.
3. 04 42 37 56 55.
4. Supermarché Bel-Air.
5. Du lundi 24 au samedi 29.

Exercice 4 – page 117
1. rencontres françaises.
2. étrangère.
3. loisirs, vie de famille.
4. un peu le français.
5. C